美術作品の修復保存入門

宮津大輔

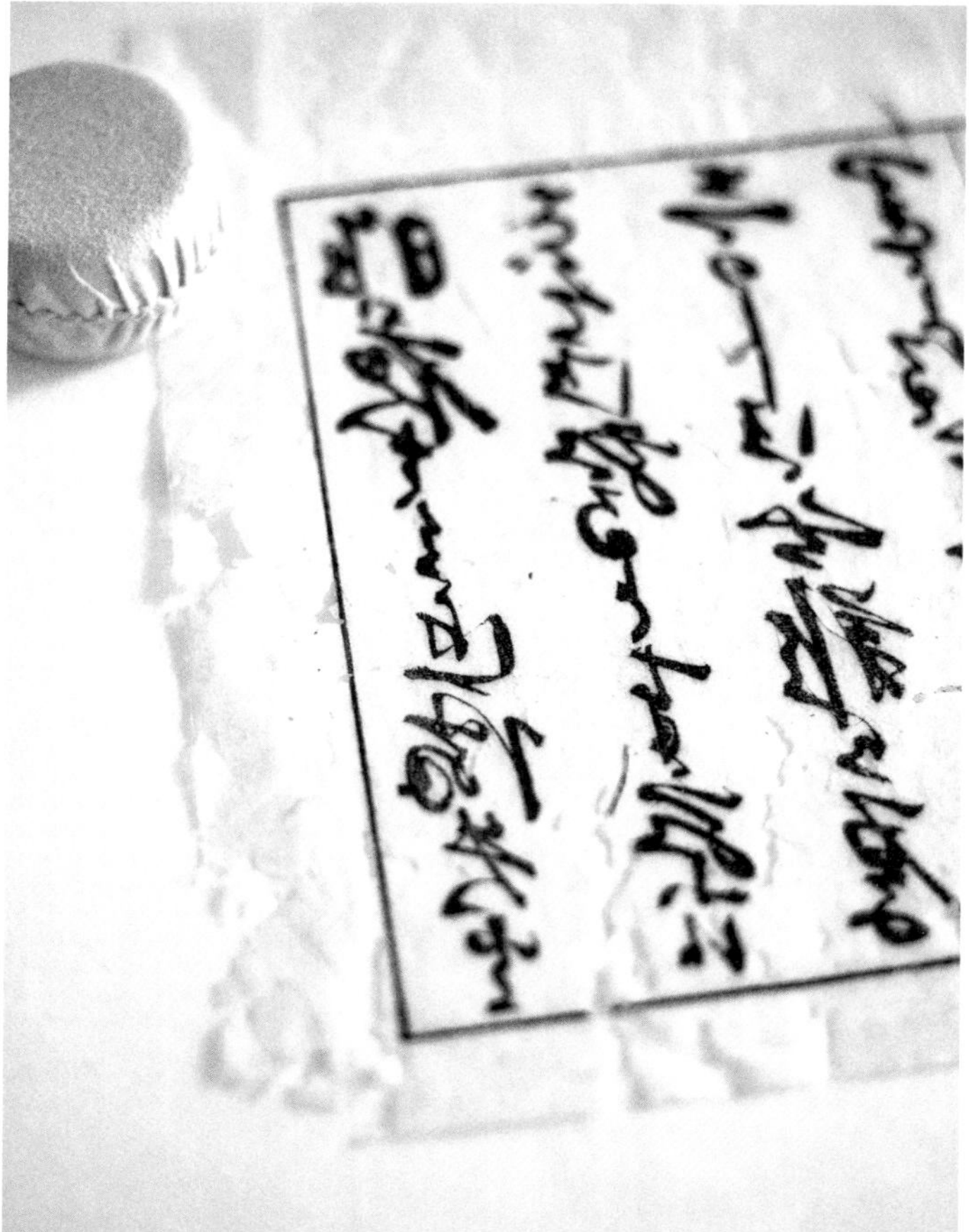

古美術から現代アートまで

青幻舎

はじめに

私たちが日々美術館で鑑賞している美術作品や、博物館に展示されている文化財の多くが過去に何らかの修復を施されてきたといっても過言ではないでしょう。

『平家物語』冒頭の有名な一節に「祇園精舎の鐘の声、諸行無常の響きあり」とあるように、残念ながら「生ある者は必ず死する」運命であり、また、「形ある物は必ず滅する」のです。

いつかは滅するさだめにある貴重な美術作品や文化財を、これ以上劣化が進まないように処置を施す「修復」と、そもそも可能な限り延命に最適な環境下で「保存」すること。それらを指して「修復保存」と言います。保存修復と呼ばれる場合もありますが、本書では修復保存を使用します。

『大辞泉』によると、「修復」という言葉自体は「建造物などの、傷んだ箇所を直して、元のようにすること」*ⓐを意味します。しかし、美術作品の修復においては、現状維持が最優先であり、欠失箇所に対するイメージ回復処置である補彩をあえて行わない場合も少なくありません。また、「保存」という言葉は「状態を維持する」という意味であり、物を預かり、管理することに重きを置く「保管」とは、その点で異なっています。さらに、美術作品においては前者が長期間であるのに対して、後者は比較的短期間というニュアンスも含んでおり、本書では使い分けをしています。

芸術・文化の長い歴史は、私たちにとってかけがえのない財産である文物を、後世へと遺していく戦いの歩みでもありました。戦争や内乱といった人災、そして台風や地震、洪水、あるいは劇的な気候変動などの天災による度重なる危機をくぐり抜け、それらはいまも私たちの目を楽しませています。

かく言う私も、25年以上にわたるコレクター人生で400点にまで増えた美術作品を、最高の状態で次世代にバトンタッチするため、毎月家賃並みの費用を捻出し美術品専用倉庫を借り続けています。

現代アートの多くは、表現の多様性に伴いさまざまな素材を用いて創作されています。そうした作品表現は、世相や時代精神を色濃く反映してきましたが、同時に、作品制作用に開発されていない材料も使用していることを意味します。そのため、時間の経過とともに、残念ながら完成当時の面影を徐々に失っていくものも少なくありません。特に、性質や種類の異なる複数の媒体や素材を組み合わせたミクスト・メディア作品は、たとえば絵画なら、下地材と絵具といった併用材どうしの相性次第では、予想を超えるスピードで劣化していくこともあります。

ミニマリズムを代表するアーティストであるダン・フレイヴィン①（Dan Flavin, １９３３～１９９６年）は、１９６１年以来、直管蛍光灯を使用した作品を多く生み出してきました。しかし、ＬＥＤ光源への切り替えに伴い、蛍光灯は近い将来生産中止になるでしょう。また、第６章で詳しく述べますが、ビデオ・アートの父と呼ばれるナムジュン・パイク②（Nam June Paik, １９３２～２００６年）のケースも同様です。作品にはブラウン管テレビが用いられているため、液晶、プラズマ、そして有機ＥＬへと技術進化している現状では、代替機材の入手が年々難しくなってきています。こうした事案に対して、現在、世界中の美術館とアーティストの作品管理を行う財団が協力しながら、未来に向けた最適解を求め研究を続けています。

また、テクノロジーの発達は、さまざまな表現領域に大きな影響を与えています。たとえば、動画・静止画を問わずＷｅｂやアプリ、そしてデジタル・サイネージ広告は、その芸術性の高さと反比例して、デジタルというメディア、そして広告というカテゴリーの特性上、出演者や広告主との契約期間終了後は、その保存や閲覧が非常に難しい状況です。私たちは、写楽③（東洲斎写楽、生没年不詳）の役者絵や、ミュシャ④（Alfons Maria Mucha, １８６０～１９３９年）によるサラ・ベルナール⑤（Sarah Bernhardt, １８４４～１９２３年）のポスターといった往時の広告・宣伝物は美術館で鑑賞することが可能です。

しかし、現在制作されているデジタル広告を、近い将来の人々は見られなくなってしまうかもしれません。

私たちが生きる21世紀は、およそ2万年前に描かれたラスコー洞窟の壁画以来、連綿と続く伝統的な絵画と、最先端のデジタル・アート作品が共存している時代です。そこで本書では、絵画作品（洋画や日本画を中心とした東洋画）、紙作品・資料（素描、版画、書籍、資料類など）、立体作品（多様な素材を用いた彫刻や彫塑、そして仏像や神像などの文化財）、さらには映像を中心とするタイムベースド・メディア作品（フィルムやデータといった記録方式・媒体など）＊ⓑに分けて、修復技術のみならず、制作技法や材料並びに保管・保存といった「修復保存」に関する基礎知識を、豊富な事例や興味深いエピソードとともにわかりやすくまとめました。

また、多くの専門書や無味乾燥な指導書、ハウ・ツー本とは異なり、楽しみながら本質に触れられるよう、本文中に適宜コラムを挿入しています。執筆にあたっては、第一線で活躍する修復家による技術監修の下、広くアート愛好者やコレクター、ギャラリストに加え、作品創作に取り組む美大生からプロのアーティスト、クリエイターまで、誰もが手元に置き参考にしていただける入門書となるよう心を砕きました。

それでは早速、「修復保存」が有する深遠な世界へとご案内しましょう。

〈用語解説〉

①ダン・フレイヴィン
アメリカのアーティストで、光を使った作品で１９６０年代のミニマリズムを主導しました。既製品である蛍光灯を材料とし、これらに一切手を加えることなく作品を制作しています。

②ナムジュン・パイク
日本統治時代の京城（現在のソウル）で生まれ、１９５６年東京大学文学部美学・美術史学科を卒業。その後ドイツに渡り音楽を学び、ジョージ・マチューナス（George Maciunas, １９３１〜１９７８年）が提唱したフルクサス（ラテン語で「流れる、変化する」という意味を有する前衛芸術運動）に身を投じます。１９６３年、13台のテレビ受像機による最初の個展「音楽の展覧会—エレクトロニック・テレビジョン」をパルナス画廊（ドイツ・ヴッパータール）で開催。世界初のビデオ・アート作品といわれる同展以降、その始祖としてビデオそしてメディア・アートの発展を牽引し続けました。

③写楽
江戸時代中期に活躍した浮世絵師。極端にデフォルメされた役者や相撲力士などを描いた独創的な作品を次々と生み出し、その後に忽然と姿を消した謎の絵師として知られています。諸説ありますが、今日に至るまでその正体はわかっていません。

④ミュシャ
チェコ出身のアール・ヌーヴォーを代表する画家であり、グラフィックデザイナー、イラストレーター。多くのポスターや装飾パネル、看板などを制作しています。代表作はチェコおよびスラヴ民族の歴史を描いた大作《スラヴ叙事詩》（１９１０〜１９２８年）です。

⑤サラ・ベルナール
フランスの女優で、「ベル・エポック」（美しい／良き時代の意味で、19世紀末から第一次世界大戦勃発までの、パリが隆盛を極め華やかであった時代を指します）を象徴する最初の国際的なスターです。ミュシャやガラス工芸家のルネ・ラリック（René Lalique, １８６０〜１９４５年）ら、若き芸術家たちの才能をいち早く見出して支援するとともに、彼らのミューズでもありました。

美術作品の修復保存入門

古美術から現代アートまで

目次

第5章　立体作品の修復を知る

第6章　タイムベースド・メディア作品の修復を知る

CHAPTER ONE

第1章

美術作品にはどのような劣化や損傷が生じるか？

展示や保存時の環境が原因で起きること

本書の冒頭で申し上げた通り、この世に存在するあらゆる物は、いつかは滅びる運命にあります。それは、いかに優れた美術作品や文化財であっても例外ではありません。時間の経過とともに、作品が自然に傷んでいくことを「経年劣化」と言いますが、どれほど適切な環境で保存したとしても、この経年劣化を避けることはできません。しかし、その速度を遅らせたり、生じた劣化を修復したりすることは可能です。

そこで、本章ではまず、経年劣化を促す主な環境および生物による要因を明らかにしていきます。そしてその修復方法については、それぞれの作品のメディアや技法ごとに第3章以降で説明していきたいと思います。

環境要因① 温度や湿度が作品に与える影響とその対策

日本は、本州の大半が温帯で、一年を通して雨の多い温暖湿潤気候に属しています。ただ、南北に細長い日本列島は緯度の差が大きく、北海道や東北地方の一部は亜寒帯(冷帯)に、九州から台湾の間の太平洋上に、飛び石のように並ぶ南西諸島は亜熱帯に属しているため、気候の差があります。また、季節風の影響で四季がはっきりしていることも特徴です。

美しい日本の四季は、そこに住む私たちにとっては、季節と自然の移ろいや、それに合わせて変化する衣・食・住（＝設え《しつら》）を堪能できるため、とても趣《おもむき》があります。しかし、季節ごとに大きく変わる温度や湿度は、時に美術作品にとって過酷な環境を生み出しかねません。

北海道のように梅雨のない地域もありますが、日本におけるほとんどの地域では多雨による湿度の高い時期が年に数回訪れます。湿気を含んだ美術作品をそのまま放っておけば、しみやカビを発生させてしまいます。しみには、支持体①である紙の製造過程で入り込んだ不純物や付着物が水分に反応して生じるものと、カビによるものとがあります。また、紙だけに限りませんが、支持体が湿気を含むことでたわんでしまったり、波打ってしまったりもします。

また、3月中旬から4月にかけての春の長雨（菜種梅雨《なたねづゆ》）後の5月の五月晴れ《さつきば》や、8月後半から10月にかけての秋の長雨（秋霖《しゅうりん》）後の秋晴《しゅうせい》は、人間にとってみればからっとして気持ちが良いものですが、作品にとっては、こうした急激な湿度変化もまた大きなストレスになります。長い間多湿な環境に置かれ、たっぷり水分を含んだ作品が、乾燥した空気に触れた途端、支持体の伸縮に塗膜層が追いつかずに亀裂が生じたり、破けたりしてしまうこともあるからです。

① 支持体
絵画の塗膜（＝つまり絵）を支える物質のこと。紙やキャンバスなどを指します。

さらに、同じ日本の中でも、地域によって気候特性が異なるため注意が必要です。6～7月の梅雨時には、全国的に湿度が最大値に達しますが、富山県をはじめとする日本海側では、冬にもう一度、湿度のピークを迎えます。これらの地域で冬季に湿度が高い理由は、降雪による日照時間の低下に起因しています。

こうした温度や湿度の変化から作品を守り、コンディションを保ち続けていくために必要な措置とは、一体どのようなものでしょうか。

現在、世界中の美術館では、作品を保存する場所に適した温度は20～22℃、湿度は50～55%という基準を定めています。そして、24時間一定の温度・湿度保持を行う「恒温恒湿」管理を行っています。

もちろん、美術作品に使用されている材料によって、最適な展示・保存環境は異なります。展覧会で「クライメイト・ボックス」という、周囲と環境が異なる特殊なケース内で展示されている作品を見たことがある方も多いと思います。たとえば、錆びやすい刀剣の最適湿度は、基準よりもさらに低い45%前後に設定されています。

日本とは気候の異なる海外から作品を借りてきた場合はどうでしょうか。こういった場合、その作品は、いきなり前述の恒温恒湿管理を行わずに、美術館到着後に徐々に環境に慣らしていく「シーズニング（Seasoning）」という措置が取られています。

また、加湿の際に使用する水はカルシウムなどの不純物を取り除いた「純水」、あるいは、それに近いものが使用されています。さらには、外気や来館者の影響（たとえば空気中のチリやカビ、ヒトの呼気から排出される二酸化炭素など）を最小限に抑え、空気中の汚染物質を除去するため、館内循環空調設備には化学吸着フィルターが装備されているのです。国内における一例を挙げると、九州国立博物館の収蔵庫＊ⓐでは、循環する空気を水で洗うという処置をとっています。

なお、学校や個人で作品を保存する場合には、作品表面や紙・合板製の箱に綿布や柿渋紙を貼った畳箱《たとうばこ》などに入れ、外箱を覆っているビニール袋やポリエチレン製のエアキャップ（気泡緩衝材）は必ず外してから保存しましょう。これらは内側に余計な湿気を溜め込むだけでなく、画面に直接触れている場合には、圧着して作品を傷つけてしまいかねません。また、作品は完全に乾いた状態で移動することが肝要です。しかし、やむを得ない場合には梱包・移動に専用の画面粘着防止用保護紙を使用するなど特別な配慮が必要となります。

自宅での保存場所については、キッチンや風呂場、トイレなどの水回りの近くに作品を置くことはご法度《はっと》ですが、大切にするあまり、閉め切った押し入れやタンスの中にしまい込むことも良くありません。水分は下にいくほど溜まりやすいので、チェストの下段や地袋（床の間脇や違棚下部に作られた収納用小戸棚）への収納には、特に注意が必要です。定期的に作品を出して空気に触れさせるとともに、空間の換気を行うことが重要です。もちろん、雨天時に出し入れすることは控えるようにしましょう。

また、エアコンにも注意しなければなりません。エアコンから吹き出す風には、ドライや送風であっても湿気が含まれているため、作品に直接風が当たらないように配慮します。夏場は冷風による急激な温度変化で、額の内側に結露が生じる場合もあります。

ところで、このまま地球温暖化が進めば、将来的に日本の気候は、温帯から亜熱帯に変わってしまう可能性も否定できません。温度・湿度の上昇は、紙だけでなく金属や石などの物質劣化を早め、特にキャンバスや木製の板といった支持体の食物繊維や、亜麻仁油などを混ぜて描かれた絵具層といった有機物質の加水分解②を強く促します。

ちなみに、しばらく履いていなかったお気に入りのスニーカーに足を入れた途端、ソール（靴底）が剥がれたり、割れたりしてしまうのも、ポリウレタン（ウレタンゴム）が水と反応して、加水分解を起こしてしまうからです。

環境要因② 結晶様物質、劣化生成物が作品に与える影響とその対策

絵具顔料③が湿気や二酸化硫黄、一酸化炭素、浮遊粒子状物質などの大気中の汚染物質と化学反応を起こすことで、アクリル画や油彩画作品の表面に針状、微粉末状など、さまざまな形状の結晶体が現れます。これを、「結晶様物質《けっしょうようぶっしつ》」と呼びます。結晶化し

② 有機物質の加水分解
脂肪、酸塩化物、エステル、タンパク質、デンプン、セルロースなどの分子が、水の作用によって分解する反応です。

③ 顔料
色の原料（色材）は、大きく分けて「顔料」と「染料」に分けられます。いずれも色の付いた粉末ですが、前者は水や油に溶けず、定着剤（バインダー）を加えることで紙の表面などに色素が定着し着色され、後者は水や油に溶けて、紙に色素が染み込んで定着します。

ないもの（非結晶体）もあるので、それらを併せて「劣化生成物」と総称します。

結晶様物質は、パルミチン酸やステアリン酸といった脂肪酸を主成分として、数種の化合物が複合することで生成されており＊ⓑ、絵具層を内部から変質させてしまうために注意が必要です。キラキラした結晶や時にカビのようにも見えるため、顕微鏡による表面観察や分光光度計④を用いた色彩測定などによって、慎重に分析した上で修復処置を施すことが大切になります。また、これらの劣化生成物の発生を極力抑えるためには、恒温恒湿管理に加えて、化学吸着フィルターや空気清浄機などによる空気中の汚染物質や不純物の除去が有効です。

④ 分光光度計
光の強さの分光密度を計る装置の総称。波長を順次変化させながら単色光ごとに光の強さを検出して分光密度を測定します。

環境要因③　紫外線が作品に与える影響とその対策

地球に到達する太陽光線は、紫外線、赤外線、可視光線という3種類の光線に大別されます。中でも紫外線は、波長が最も短くエネルギーの強い光を指します。私たちが真夏に油断していると、肌が火ぶくれするほど日に焼けてしまうのは、この紫外線のせいです。窓などから屋内に入り込む太陽光に何の対策も施していなければ、日焼け止めを塗っていない人間の肌と同様に美術作品にも大きな影響が生じます。

また、紫外線は鎖結合状態の油脂を酸化させ分解してしまうため、油彩画などの表面を劣化させます。さらには、食品および医療関係などさまざまな分野で活用されていることからも明らかですが、紫外線には強い酸化漂白作用があります。紫外線は空気中の酸素と反応することで、塩素の数倍にも匹敵する酸化力を持つオゾンを発生させるため、あらゆる物質の劣化を促します。屋外や外光の入る場所で使っているプラスチック製の洗濯バサミが脆くなるのは、この作用によるものです。この酸化漂白作用により、顔料や技法によっては退色しやすいものもあります。たとえば、染料系のインクや絵具などがそれにあたります。

加えて、紫外線によってその繊維が劣化した紙は、白色から焼けて茶褐色に変色してしまいます。また、意外に知られていませんが、太陽光線に比べ微量ではありますが、蛍光灯も同様に紫外線を発しています。

そのため、額装時には、UVカット・アクリルを用いることに加え、展示空間の照明については紫外線も熱も発しないLEDライトに変更することが、劣化予防策としては最も効果的です。ただし、旧型の照明器具には、LED未対応の製品もあるため注意が必要です。また、日焼けによる変色には、還元漂白剤⑤や過酸化水素水⑥によって漂白を施すこともあります。その際、支持体を傷めてしまわないように、薬品の濃度には細心の注意を払い、さらに薬品が残留しないよう丹念な洗浄を行うことも肝要です。

⑤ 還元漂白剤
物質から酸素を除去する還元作用を利用することで、色素を分解します。

⑥ 過酸化水素水
他の物質を酸化させ、自らを還元する強力な酸化剤（ただし、強い酸化剤との反応においては還元剤として働く）。市販のオキシドールなどはこれを希釈したものです。

生物が原因で起きること

生物要因① カビが作品に与える影響とその対策

カビとは、いわゆるキノコのように胞子を形成するための器官を持たず、糸状の姿をした菌類を指します。そして、地球上の全微生物のおよそ40%を占め、現在わかっているだけでも3万種以上を数え、少なくとも5億年以上前から存在しています。また、植物における光合成のような仕組みを体内に持っているため、さまざまな物質に取り付き、酵素の働きによってそれらを分解し、自らが生きていくためのエネルギーにすることで、多くの代謝物を作り出します。

すべての生物は細胞によって構成されていますが、細胞の特徴によって大きく2種類に分類されます。染色体DNAが膜に包まれた核の中に存在している「真核生物」と、染色体が細胞の中に裸で存在している「原核生物」です（一部例外もあります）。カビや酵母、キノコは真核生物の「真菌類」に分類されます。真菌類は核の他にも、ミトコンドリアや小胞体など多くの小器官を有しているため、実は高等生物なのです＊ⓒ。同じ漢字の「菌」が付くために仲間であると誤解されがちですが、乳酸菌や大腸菌などの「細菌類」は原核生物であり、その構造は大きく異なります。

私たちが日常生活でよく見かけるカビは以下の6種類となります。

カビは空気中のどこにでも漂っていて、条件がそろうと繁殖します。カビが人間の目にも見える程度まで増殖すると、いわゆる「カビが生えた」状態になったと言えます。種類にもよりますが、3条件が重なるとカビは爆発的に繁殖します。

主なカビ6種

●黒カビ カビの中で最もよく見かける種類です。空気中に多く浮遊しているため、いたる所に発生します。

●青カビ 黒カビと同じくらい発生しやすいカビの一つです。黒カビ同様、空気中に多く浮遊しているので、菓子やパンの表面に多く発生します。また青カビには、医薬品で使用されるペニシリンも含まれます。

●白カビ 食品から住宅の一部まで、あらゆる所に発生しやすい白色のカビです。カマンベールチーズ表面の白カビは食べられますが、有毒の白カビもあるため注意が必要です。

●赤カビ 植物を枯らせたり腐敗させたりする、病原菌の一種です。

●緑カビ 青カビとは似て非なるもので、一般的にはツチアオカビと呼ばれています。

特に多湿な場所を好み、木材に発生すると劣化や腐敗を起こすため注意が必要です。

●黄カビ　他のカビと異なり、乾燥した場所を好みます。ガラスやフィルムなどに発生するのがこのカビです。カメラのレンズが曇るのも、黄カビが原因です。

カビの繁殖しやすい3条件

●湿度　70％以上（湿度60％以上から活発に活動しはじめ、80％以上で一気に繁殖します）

●温度　20〜30℃（生育に最適な温度は25℃以上です）

●栄養分　有機物の汚れや埃、ダニの死骸など

古書や紙に描かれている年月を経た作品や、古い紙資料などに見られる褐色の斑点を、「フォクシング（Foxing）」と呼びます。これは、主にカビの代謝物が残存して起きる現象です（紙の種類によっては、鉄起源のものも存在します）。

作品に生えたカビを放置すれば、菌糸は紙の奥深くまで浸入し、その繁殖範囲を広げていきます。症状が進行すれば絵具の中にもカビが入り込み、栄養源が枯渇するまで吸

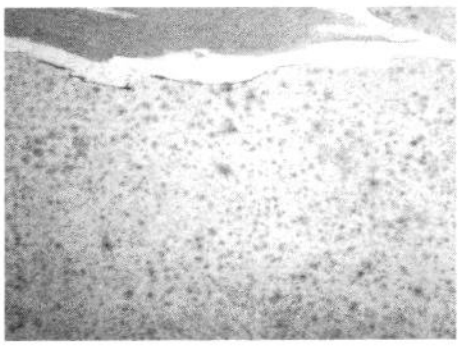

紙作品に発生したフォクシング

収・分解し、代謝物として酸を生成します。そうして生じた酸によって作品表面が脆くなることで、描画材が失われてしまう場合すらあります。

また、カビが発生すると、それを餌にするダニが集まり、さらに今度はダニを捕食するクモや昆虫なども現れるため、その糞や死骸がダメージを深刻化させてしまうケースも少なくありません。

発生してしまったカビは、まずは刷毛やフィルター付きの掃除機で注意深く除去します。この除去法を「ドライ・クリーニング」と呼びます。その後、殺菌力のある専用の溶剤で殺菌・清拭します。その際、描画材を溶かしてしまわないよう、事前に目立たない箇所で試してから行いましょう。

また、密閉空間を薬剤などで満たし、作品を殺菌殺虫する「燻蒸《くんじょう》」という処置を施す方法もあります。しかし、一般的な燻蒸剤として従来用いられていた臭化メチルが、オゾン層の破壊を引き起こす原因として２００５年に使用禁止とされたことに加え、化学性薬剤の使用による環境や人体への悪影響が指摘されていることから、近年では薬剤に頼らない作品の管理や保存が推奨されています。いずれにしても、まずカビを発生させないことが重要です。そのためには、カビの発生環境を断つ、恒温恒湿管理が最も重要です。

生物要因② 害虫・害獣が作品に与える影響とその対策

私たちの身の回りには、前述したカビのみならず、他にもさまざまな生き物が生息しています。それらは、紙や木材、布などから成る美術作品や文化財に、時に大きな被害を及ぼします。この項では、美術作品や文化財にとって主要な害虫・害獣と、その対策について紹介していきます。

生物要因による損傷実例

洋画作品の支持体(板)に発生した穴
シバンムシ(29ページ参照)、ヒラタキクイムシなどの昆虫による食害と考えられます。

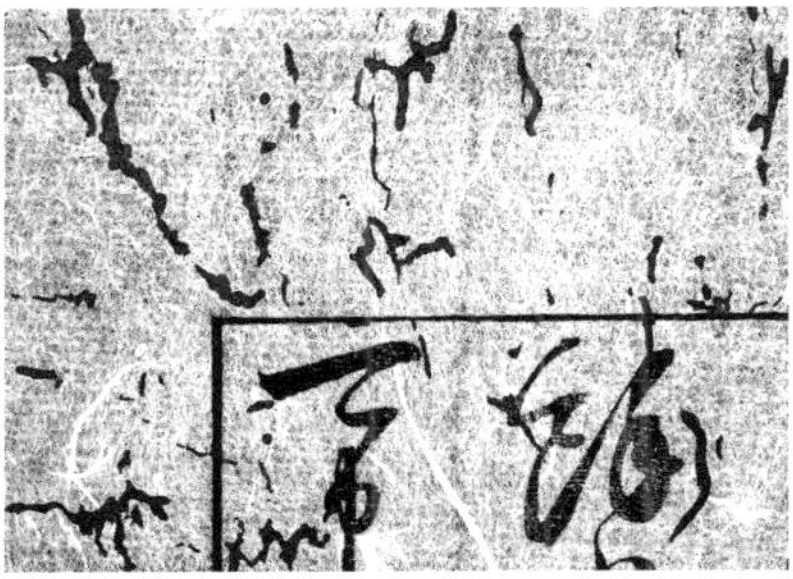

紙文書に発生した穴と線状の欠損
シバンムシによる食害と考えられます。

【ゴキブリ】

2億5千万年前にはすでに存在していたといわれる、最古の有翅《ゆうし》（胸部に2対の翅《はね》を持つ）昆虫です。

日本では、全国に広く分布するクロゴキブリや日本固有種のヤマトゴキブリ、屋内性種では最も大型のワモンゴキブリ、小型のチャバネゴキブリの4種が代表的です。現在、国内には50種類前後のゴキブリが生息しているといわれています。

夜行性で、暗くて暖かく、湿度が高く狭い場所を好みます。クロゴキブリの寿命は6〜7ヵ月ですが、非常に繁殖力が強く、一生の内に20〜30個もの卵の入った卵鞘《らんしょう》を15〜20回産みます。雑食性のため、紙なども食い荒らしてしまうのです。さらには、仲間の糞や死骸、自ら脱皮した後の抜け殻までも食します。

木材や紙類から皮革まで、広範の美術作品や文化財に対する食害を及ぼすとともに、糞による汚染被害も各所で報告されています。

対策

楕円形の糞や「ローチ・スポット（水性の黒い糞が流れた跡）」を見かけたら、使い捨てゴム手袋、マスクを着用の上で除去した後に専用の溶剤で消毒します。また、移動経路にトラップを仕掛けることも有効です。

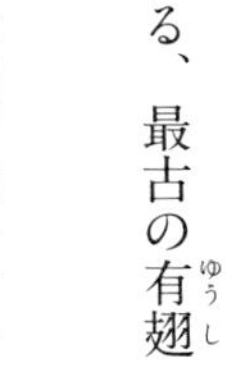

チャバネゴキブリ

【シロアリ】

南西諸島を除き、日本に生息するのはヤマトシロアリとイエシロアリの2種類です。シロアリは、高度に分化（役割分担・階級）が進んだ社会性昆虫で、生殖によりコロニーを形成する女王を中心に、職蟻《しょくぎ》や兵蟻《へいぎ》などで構成されています。主に木材を食害しますが、蟻道《ぎどう》を伸張する過程でコンクリートやプラスチックまで食い荒らすことがあります。木材建造物や立体作品、仏像をはじめとする文化財への食害が大半といえます。

対策

駆除には、神経伝達部分に作用するネオニコチノイド系やフェニルピラゾール系、呼吸阻害を促すフェニルピロール系などの薬剤を使用します。ただし、人間やペットに対しても有害な場合があるため、安全性への注意が必要です（作品への影響も懸念されます）。よって、通常は専門の駆除会社に依頼します。

【シミ】

古書や糊付けされた表紙、掛け軸などに対して、舐めるように食害し劣化させてしまいます。その形状から「紙魚」と書かれ、英語では「シルバー・フィッシュ（Silverfish）」と呼ばれています。

日本でよく見られるものは、世界的にも最も一般的といえる銀色のセイヨウシミに加

シロアリによる木材の食害

ヤマトシロアリ

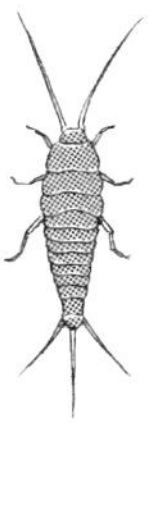
セイヨウシミ

え、日本固有種でやや黒色のヤマトシミ、そしてマダラシミです。

対策

作品保存場所を、常に清潔で乾燥した状態に保つことが最も重要です。

【カツオブシムシ】

カツオブシムシという名は、鰹節に発生することに由来しています。日本に生息している代表的なものは、斑模様のヒメマルカツオブシムシと、黒色をしたヒメカツオブシムシの2種です。いずれも成虫は日中に花粉や花の蜜などを求めて活動しますが、幼虫は暗い所を好み、毛織物から絹、麻、綿まで、動植物繊維製の服飾文化財や資料、軸装部分などを食害します。

カツオブシムシは屋外から侵入し産卵するため、誘引作用のある白い衣服、洗濯物やカーテン、あるいは成虫が好むキク科の植物には注意が必要です。

対策

作品保存場所を清潔に保ち、併せて防虫剤も利用しましょう。被害がひどい場合には、専門の駆除会社に依頼します。

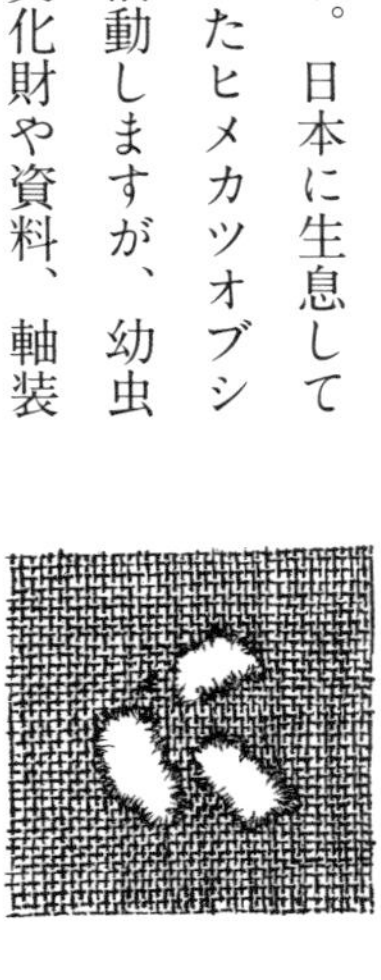
幼虫による衣服の食害

ヒメカツオブシムシとその幼虫

【シバンムシ】

シバンムシは、英名で「Deathwatch beetle（死時計甲虫）」と呼ばれています。これは成虫が求愛行動を起こす時に出す音を、死神が持つ時計の音に見立て命名されたものです。そこから和名は、死神=死の番人を意味する「死番虫」と名付けられています。

日本にはおよそ60種が生息していますが、家庭内でよく見かけるのはタバコシバンムシとジンサンシバンムシの2種です。主に乾燥食品を食害しますが、博物館が所蔵する植物・昆虫標本にとっての大敵でもあります。

また、フルホンシバンムシやザウテルシバンムシは、書籍や古文書、掛軸や屏風などにも発生し、時に大きな被害をもたらします。その重量が価格に反映されるため、江戸時代後期の和紙には糊が多く含まれていました。そのため、デンプン質を好むシバンムシにより、トンネル状に食い荒らされ、原型を留めない古文書などをよく見かけます。

ケブカシバンムシ、マツザイシバンムシ、オオナガシバンムシの3種は、建造物や家具、仏像、民具といった木製文化財に加害します。

なお、シバンムシの幼虫に寄生する天敵のアリガタバチは、その毒針で人を刺すため二次被害にも注意が必要です。

対策

作品の保存場所を清潔に保ち、併せて防虫剤の使用や専門駆除業者への依頼も考慮し

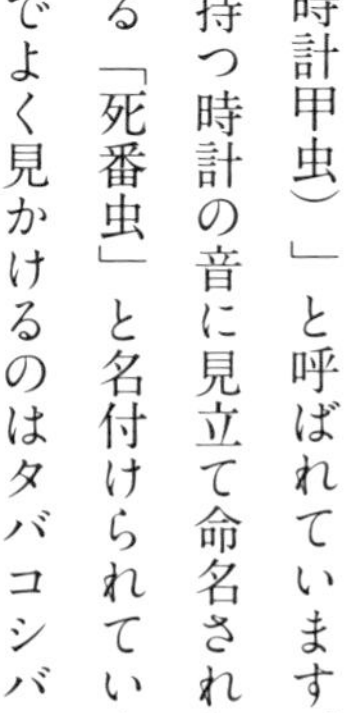

幼虫による古文書の食害

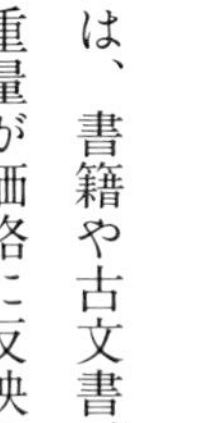

タバコシバンムシ

ましょう。防虫剤に対する耐性が高いため、根絶は容易ではありません。

ここまでご紹介した害虫対策において、保存・保管庫や収納箱の中に衣類害虫用の防虫剤を入れたり、防虫シートなどを敷いたりする場合には、使用成分をよく確認し、事前に専門家の判断を仰ぐようにしましょう。

【ネズミ】

ネズミは作品に使用されている有機物（膠《にかわ》や糊など）や、皮革、天然繊維、羊皮紙《ようひし》（羊や牛などの獣皮を伸ばし、薄く削ったもの）などを食害します。また木製の作品や文化財、建造物、家具などを齧ることで深刻な被害をもたらします。さらには、腐食性を有する排泄物による汚染にも注意が必要です。

対策

専門の駆除会社への依頼や、汚れや油が付着したネズミの通り道（ラットサイン）への粘着シート式トラップ設置が有効です。トラップなどを処理する時には、マスクと使い捨てゴム手袋を必ず装着しましょう。ネズミは、サルモネラ菌、チフス菌、肝炎ウイルスといった病原菌を多く媒介しているからです。

クマネズミ

これら以外に、動植物繊維のみならずナイロンのような化学繊維にも害をなすイガ（蛾の一種）の幼虫や、家屋や建材、木製の美術作品、文化財を食害あるいは営巣のために損傷させるカミキリムシやハチの仲間など、多種多様の害虫が存在しています＊ⓓ。

こうした食害に遭わないためには、まずは作品保存場所を清潔に保つことが重要です。また、収蔵庫の出入り口付近や保存庫の隅などにトラップを仕掛け、定期的に調査することも有効です。捕獲した害虫や害獣の種類や数から、発生状況を把握し駆除を行うとともに、侵入経路を特定することで再発を防止します。

昆虫、カビ調査キット＊ⓔは、文化財虫菌害研究所で購入することが可能です。回収後に同研究所へ送付すれば、調査レポートとそれに基づく防除・改善策の提案を受けることも可能です。

COLUMN 1

驚くべき昆虫の生命力

昆虫綱《こんちゅうこう》は、陸上植物が出現して間もない4億8千万年前には原始的な姿で現れ、翅で飛ぶ昆虫は約4億年前に出現したとする学説もあります。初めて直立2足歩行をした、アウストラロピテクスの誕生がおよそ４００～５００万年前といわれているため、彼らは私たち人類の大先輩といえるでしょう。そして長い時間をかけ、地球上のあらゆる環境に適応してきたその生命力には驚くべきものがあります。

本節で取り上げた昆虫において、ゴキブリはその最たる例かもしれません。雑食性で、汚泥や埃、石鹸から仲間の糞や死骸までをも食します。また、体内に備蓄した脂肪体からエネルギーを得るため、自らの老廃物さえも体内でリサイクルすることが可能です。３ヵ月近くも何も食べずに生き抜くことができる個体も存在します。

繁殖力が強く、たとえばクロゴキブリは1回あたり20～30個の卵をおよそ7～10日間隔で産み続けます。驚くことに殺虫剤を噴射された母ゴキブリは、死の直前に卵鞘を生み落すことで子孫を残します。固い殻に守られた卵には、殺虫剤や燻煙剤などが効きにくいため生き延びて孵化します。

繊維の大敵であるカツオブシムシは収蔵庫やクローゼットに幼虫が残っていると、そのまま成虫になり産卵します。飢餓状態でも産卵可能なため、衣類や乾燥食品がなくても繁殖し続けるのです。幼虫である期間はおよそ３００日間ですが、6～12ヵ月間であれば飢餓状態でも生存します。もしも成長に必要な餌が得られない場合は、幼虫期間を2～３年に延ばすことすらあります。防虫剤の効き目が弱くなっていると、生き残っていた幼虫から再び繁殖し、大量発生する恐れがあります。

一方、紙を食べるシミ類の寿命は7～8年と非常に長く、また卵から成虫になるまで1年を要する種もあります。彼らも飢餓には強く、1年間絶食状態でも生存することが可能です。

自然災害が原因で起きること

私たちの住む日本列島は自然災害が多く、文化財も常日頃から危険に晒されています。阪神・淡路大震災（1995年）や東日本大震災（2011年）といった平成の巨大地震では、多くの文化財が大きな被害を受けました。前者では、旧神戸居留地十五番館⑦（1880年竣工）が激しい揺れで倒壊してしまいました。しかし、幸いにも残った構造材を利用して復旧、再び重要文化財に指定されています。一方、後者においては、津波が岡倉天心（1863〜1913年）ゆかりの六角堂⑧（茨城県・五浦）を跡形もなくさらっています。その後も熊本地震（2016年）や大阪府北部地震、北海道胆振東部地震（いずれも2018年）といった大地震が頻発しています。

また、近年では地球温暖化により海水温度が上昇することで、台風や集中豪雨が強大化しています。記憶に新しいところだけでも、豪雨による広島市北部の土砂災害（2014年）や北海道に甚大な被害をもたらした平成28年台風第7号（2016年）、関西国際空港の連絡橋を破壊した平成30年台風第21号（2018年）など、毎年のように夏から秋口にかけて襲来しています。その影響が広範囲にわたった台風21号では、国宝建造物33件、重要文化財建造物227件などが被災しています＊ⓕ。こうした災害は、東日本大震災における津波や火災、さらには福島第一原子力発電所事故、また、台風や

⑦ 旧神戸居留地十五番館
神戸市中央区にある西洋館で、旧アメリカ合衆国領事館。居留地時代（1868〜1899年）の建築物で、当時のレンガ造りの塀や石柱とともに保存され、国の重要文化財にも指定されています。

⑧ 六角堂
明治時代に岡倉天心が思索の場所として設計した六角形の建築物。登録有形文化財に登録されましたが、2011年の東日本大震災の津波で消失。2012年に再建されました。

集中豪雨による土砂崩れや建物倒壊、河川の決壊（堤防やダムなどが切れて崩れること）・溢水《いっすい》・越水《えっすい》（「溢水」は堤防がない場所で、「越水」は堤防を越えて外まで水が溢れ出てしまうこと）による浸水など、二次的、あるいは同時多発的な災害をも引き起こします。

令和元年の東日本台風（令和元年台風第19号・２０１９年）は、駅前に林立するタワーマンションの脆弱性を露呈させただけでなく、川崎市市民ミュージアムに過去にないレベルの被害をもたらしました。同館はかつて池が多数存在していた等々力緑地にありながら、温・湿度が管理しやすいことから、９つの収蔵庫をすべて地下に設けていました。加えて、市が策定したハザードマップでも最大10メートルの浸水想定がされていたにもかかわらず、特段対策が取られてこなかったという指摘もあります。その結果、地下階への浸水により、26万点にも上る美術作品や歴史資料の大部分が、泥水に浸り損傷してしまいました＊⑨。

起こってしまったことは、仕方がありません。いまは、貴重な作品や文化財をどのようにレスキューしていけばよいのか、さらには一人ひとりが協力できることを考え、果断に実行していくべき時ではないでしょうか。現在、同館では、収蔵庫から搬出した作品の洗浄や燻蒸による殺菌、カビの増殖を防ぐため、冷凍庫へ緊急保管するなど、復旧に向けた作業が行われています。

気候変動により、いまや「想定外」や「１００年に一度」の非常事態が常態化しつつあります。日頃から不測の状況を想定し、備えを怠らないようにしていかなければなりません。

人が原因で起きること

元々画材でない材料、たとえば、顔料に砂を混ぜたり、絵具の代わりにアスファルトなどを使用したりして制作された作品は劣化しやすい傾向があります。

特殊な材料による作品は過去の修復に関するデータもないため、適切な修復を施すことが難しい場合が少なくありません。また、油絵具の場合には、溶剤調合についても注意が必要です。一例を挙げれば、テレピン油⑨などの揮発性油のみを用いて描かれた作品は、絵具の固着力が弱いために、粉化・剝落など思わぬ損傷が生じる場合もあります。こうした作品メディアごとの技法・材料における注意点については、第3章以降でそれぞれ詳述していきます。

作品寿命を延ばすために施す修復も、用いる技法・使用する材料が不適切であったり、対象となる作品の制作背景や歴史などの知識を欠いていれば、かえって作品を傷つけてしまうことにもなりかねません。

⑨ テレピン油
主に松ヤニを蒸留・精製した植物性揮発性油で、油絵具の粘性や濃度調整に用いられます。通常は支持体への固着性を高めるため、リンシード・オイルやポピー・オイルなどの植物性乾性油（成分中の不飽和脂肪酸が、酸素と酸化重合することで固着）と混合して使用します。

サントゥアリオ・デ・ミセリコルディア（スペイン・アラゴン州）にある教会の柱に描かれた、エリアス・ガルシア・マルティネス（Elias Garcia Martinez, 1858〜1934年）によるキリスト像は、湿度により劣化が進行していました。そこで2012年に、地元のアマチュア画家であるセシリア・ヒメネスさんが善意から同作品の修復を手掛けました。

しかし、修復後の同作品は以前とはまったく異なり、まるで猿のような姿に変わり果ててしまいました。原形を留めないほどの芸術的惨状について、元々のタイトルである《この人を見よ（Ecce Homo）》をもじり、「この猿を見よ（Ecce Mono）」と揶揄されるような有様でした。このことは、適切な修復措置の難しさを物語っています。

「この猿を見よ」の後日譚

「この猿を見よ（Ecce Mono）」と揶揄されるぐらいあまりにひどい仕上がりに、修復後の作品画像はSNSで取り上げられ、瞬く間に世界中に広まり、嘲笑や非難の対象となりました。また、マルティネスの子孫や専門家は、作品の再修復や復元を強く求めていました。

しかし驚くべきことに、この騒動により同作品とともに写真に納まろうと、人口およそ5000人のひなびた寒村に、年間5万7000人の観光客が世界中から押し寄せたのです。このブームに、教会を管理する財団は一人1ユーロの入場料徴収を開始します。さらには、修復後の作品を用いたワインやTシャツ、マグカップといった土産品の開発に興味を示す企業も複数現れはじめました。そして、82歳のアマチュア画家セシリア・ヒメネスさんは、自ら手掛けた修復後の作品に付随する著作権収入を財団に寄付することに決めたそうです。騒動後に開かれた個展は大好評を博し、彼女は街中の笑い者から一転してヒロインとなったそうです。まさに、SNS時代だからこそ、起こり得た現象といえるでしょう。

19世紀の画家エリアス・ガルシア・マルティネスによる壁画《Ecce Homo》（左）、劣化した状態の壁画（中）、セシリア・ヒメネスさんによる修復後の壁画（右）。

AFP＝時事

他にもある〝人為的な損傷〟

他にも、人為的要因で生じた損傷のエピソードがあります。いまからおよそ70年前の1949年1月26日、現存する世界最古の木造建築である法隆寺金堂（奈良県）で火災が発生、貴重な壁画が焼損してしまいました。火災発生の原因は、壁画模写をしていた作業員が保温用に使っていた、電気座布団のスイッチの切り忘れでした。この事故を重く見て1955年の1月26日に文化財防火デーが定められ、同年8月には文化財保護法が制定・施行されています*ⓗ。

このようにちょっとした人的不注意から、貴重な美術作品や文化財を棄損、焼失してしまわないように、あらゆる場面において細心の注意が必要です。

展示、梱包・運搬時には、誤って落としてしまったり、作品どうし、あるいは什器などにぶつけてしまったりしないよう慎重に取り扱います。その際、誤って作品を傷つけてしまわぬよう、腕時計やアクセサリーなどは必ず外しておきましょう。また、美術作品を入れた木箱のクレートや外箱、黄袋⑩からの出し入れは、無理して一人で行わずに複数人で協力して行いましょう。事故が起こらぬように、「摑んだ」や「離した」といった声を掛け合って手渡しします。

加えて、梱包の材料や方法についても、作品の移動に最適な材質や手段を選びます。

⑩ 黄袋
額装作品を包む内袋で、外箱や畳箱に収納する時に作品保護のため使用します。通気性に富み、ウコンで染めているため防虫効果も期待できます（最近では、化学染料によるものが大半です）。

移動後は、長期間の使用が作品に悪影響を及ぼす梱包資材（たとえば、エアキャップのような気泡緩衝材）は必ず外しておきます。また、輸送時には振動で作品が傷つかないように、専用ベルトやしっかりした紐で固定するなどの対策も忘れずに行いたいものです。もちろん、交通事故を回避すべく、普段以上に安全運転を心掛けましょう。

そして、展示室や収蔵庫の環境は、前述のように最適な照明と、温・湿度管理である恒温恒湿環境に保つべく常にチェックします。

美術作品や文化財は展示・公開されることによって、多くは目には見えないようなレベルで少しずつ傷んでいます。したがって、人類共通の文化的な財産を公開しつつ、未来に向けて収蔵・保存していく美術館の役割は、本来、非常に矛盾したものであるといえます。したがって、作品を取り扱う時には、少しでも劣化を避けるため慎重、確実な手段が求められているのです。

本章では、さまざまな要因で起こる美術作品の損傷・劣化について説明しました。次章では、修復前の作品の状態調査について述べていきたいと思います。

CHAPTER TWO

第2章 修復前の作品状態調査

作品の状態調査により、最適な処置法を選択する

作品を修復する際には、最初にその作品の状態を調査し、それを踏まえたうえで、適切な処置を施す必要があります。調査の方法については、作品から微量の材料を採取して化学分析を行う「破壊調査」と、光線などを用いた「非破壊調査」に大別されます。近年、前者は原則として行われないため、後者が調査・分析の基本となります。

また、「作品修復レポート」を作成するためには、作品の構造、材料、形状、技法などとともに、修復前の状態を調査書にまとめておくことが重要です。本章では、修復前調査の重要性と基礎的調査、さらには技術進化に伴う最新の方法についても言及します。

調査方法① 非破壊調査

step 1 目視による調査と定常光撮影による写真記録

目視は文字通り調査担当者が、自らの目で作品の劣化状況を観察する方法です。変形や亀裂、剥落、あるいは汚損などといった保存上の問題点を見つけ出し調査書にまとめ

作品修復レポート

油彩作品修復レポート（抜粋）

12. 張り込み	【内容】 当初の支持体である嚢板紙に代わる、新たな支持体の用意を用意した。	
使用用具 ・木製パネル ・和紙 ・膠 ・精製水 ・張り機 ・押しピン ・タッカー		・当初である嚢板紙に代わる支持体の用意を行なった。 板紙は温湿度の影響を受けた場合変形の再発が想定されるため使用せず、支持体としてより長期保存に適した物に変更することとした。今回は規格寸A4 木材パネルを使用した。 ・事前準備としてパネルに目止めのため膠1:精製水20の比率で作成した膠水を塗布し、絶縁層として和紙を貼った。 ・張り込んでいた木枠から作品を布目に沿って切り出し、タッカー、押しピンを用いてパネルに張り込んだ。

13. 画面クリーニング	【内容】 プレクリーニングや洗浄で落としきれなかった汚損、及び表打ち和紙繊維等の付着物の除去を行なった。	
使用用具 ・膠 ・精製水 ・筆 ・綿棒 ・ピンセット		・表打ち除去の際に剥落が起こってしまった箇所を、膠1:精製水16の比率で作成した膠水で筆を用いて接着した。 ・表打ち除去の際画面に残ってしまった和紙繊維の除去を、精製水で筆とピンセットを用いて行なった。

紙作品修復レポート（抜粋）

1. 修復作品の状態調査結果

種別	浮世絵版画（錦絵）/板目木版画
支持体	和紙
主題	『東海道 水口』
作者	豊原国周（絵師）/ 越前屋嘉十（版元）/ 片田彫長次郎（彫師）/ 千明（摺師）
制作年	1863年
印章	画面外に版元、彫師、摺り師印あり、画面上部にサインあり
所蔵	横浜美術大学 修復保存研究室
修復者	重森優利
作業期間	2021年11月～2022年1月
修復前寸法	
作品全体	上辺253mm/下辺251mm/左辺366mm/右辺367mm
作品画面	上辺226mm/下辺223mm/左辺333mm/右辺335mm
厚さ	0.23mm【作品部分 0.19mm/裏打ち紙部分：0.13mm】
修復後寸法	
作品全体	上辺253mm/下辺253mm/左辺369mm/右辺367mm
厚さ	0.14mm

損傷状態表

損傷部分	損傷	状態
作品全体	黄色化・褐色化	全体的に作品はくすんだ色に変色している。
作品全体	褪色	全体的に色が褪せている。江戸東京博物館所蔵のものと比較しても褪色が確認できる。
作品上部	汚損・しみ	作品上部に水染みが確認できる。
作品左側下辺	裂け	破れが確認できる。
作品左下角	折れ	三角に折れてしまっている。
作品辺	虫害	作品の右辺、左辺一部等に虫による穴がある。

以前の修復処置（繕い）あり

損傷ロケーション図

ph テスト表

部分	ph
表面右上部分	4
表面右下部分	4-5
裏面左上部分	4-5
裏面左下部分	4-5

ph テスト時の様子

溶解度テスト（水）表

色、場所部分	溶/不溶
墨（版元印部分）	不溶解
墨（画面右下籠部分）	不溶解
朱（画面右下籠部分）	不溶解
朱（画面左部分人物後ろのグラデーション部分）	不溶解
青（背景上部分）	不溶解
青（人物服部分）	不溶解
緑（画面右下籠部分）	不溶解
緑（画面下辺部分）	不溶解
画面左家屋部分	不溶解
画面左下木の枝部分	不溶解
画面枠外サイン部分	不溶解

（上）佐瀬あずさ（横浜美術大学・修復保存コース４期生）卒業制作修復報告書から抜粋。

（下）重森優利（横浜美術大学・修復保存コース４期生）卒業制作修復報告書から抜粋。

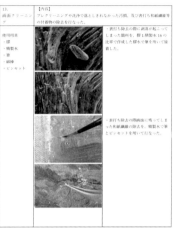

ていきます。

また、この時には「定常光」で作品の記録写真を撮影します。定常光とは、一定の明るさを保った光を意味します。一方で、ストロボなど瞬間的に発せられる光は「瞬間光」と呼びます。

撮影の際には、光を反射させないように、作品背面に暗幕などをセットします。光源は作品の高さに合わせ、撮影対象に対しては、左右から45度角にセッティングすると影ができにくいでしょう。撮影スペースを暗くしたら、撮影用照明のみを点灯します。色温度6500K（昼光色）①などのフラッド・タイプ（光軸が拡散するため、明るくムラのないソフトな配光）の光源を、2～4灯用いると自然光に近い環境を作り出すことができます。

その際、被写体とともに、厳密に適正な色で撮影・記録するためにカラーチャート②を入れて撮影すれば、ホワイトバランス③を補正した正しい色彩の画像を得ることが可能です。また、デジタル一眼レフや一部のコンパクト・デジタルカメラのRAWモード搭載カメラであれば、画質劣化のない画像データを比較的簡便に入手することができます。

なお、作品の安全性を第一に考え、機材の転倒や落下、接触などが起こらないように整理整頓を心掛け、細心の注意を払って撮影しましょう。作品は機材のセッティングがすべて整ってから最後に持ち込み、撮影後は最初に片付けるようにします。

① 昼光色
白熱球や蛍光灯には、電球色、温白色、白色、昼白色、昼光色の5種類があります。

② カラーチャート
24色の正方形を配列した、無光沢のカラーチェック板のことです。

③ ホワイトバランス
光はその種類によりさまざまな色や特徴を有しています。ホワイトバランスとは、撮影環境下での光の色を補正し、白を白く写すための機能です。

撮影による調査手順

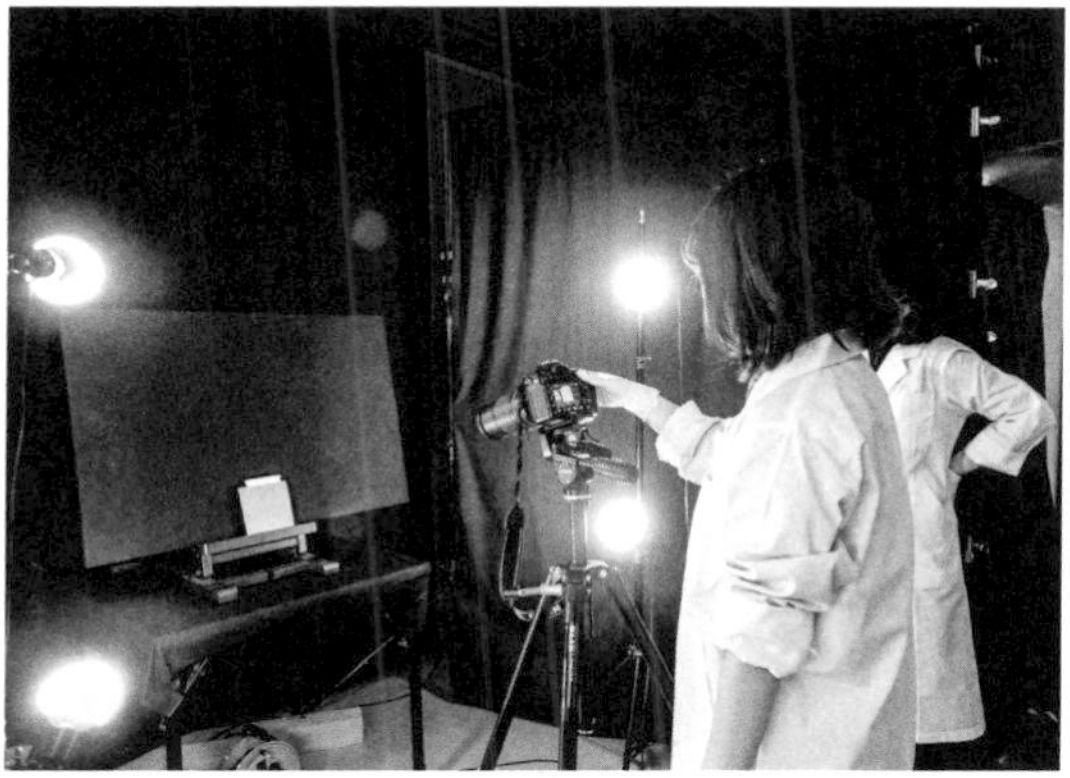

①撮影の準備

作品をセッティングする前に機材を準備し、撮影環境を整えます。そして、イーゼルなどの安定した台の背面に暗幕をセットします。作品の高さに合わせ、左右に撮影用照明をセットします。

②作品の設置

作品に損傷を与えないように、用意したセットに配置します。

③カラーチャートの設置

作品サイズに応じて、記録用のカラーチャートをセットします。

④照明の調整と撮影

撮影目的に合わせて、照明の位置や角度の微調整を行い、撮影します。

step 2 斜光線、透光線、紫外線、赤外線、X線照射による調査

私たちが日常生活で利用しているＬＥＤなどの光も、作品に対して照射する角度を変えたり、裏側から当てたりすれば（斜光線や透過光線）、目視では見落としがちな状態を観察することができます。他方、紫外線や赤外線、Ｘ線といった不可視光線は、自然光下の肉眼ではわからなかった作品の組成や構造を浮かび上がらせます。

●斜光線

同じ作品であっても、当てる光の強さや角度で見え方は大きく変わります。光ファイバー照明装置やＬＥＤなどの光源を使って、画面近くから浅い角度で当てると、キャンバスや紙のたわみといった変形を確認することが可能です。また、同時に表層の筆致や絵具の状態も観察することができます。なお、最近は高輝度ＬＥＤライトを利用したポータブル・タイプの斜光線ライトが、調査の現場では主流になりつつあります。

●透過光線

作品の裏面から光を当てます。厚塗りや暗色絵具の塗布部分は光を通しにくく、逆に薄塗りや剝落、欠損部分は光をよく通します。

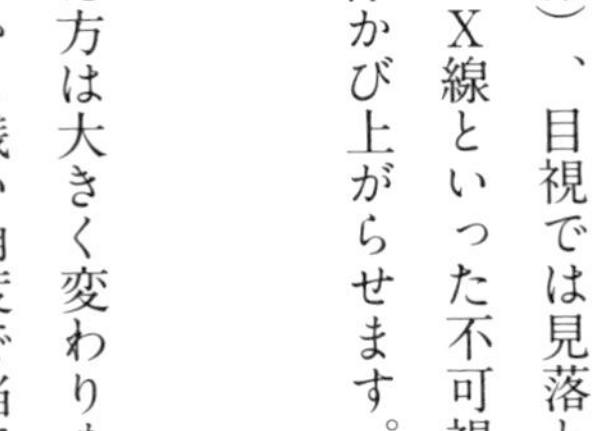

斜光線による調査
画面下方向から照射しています。絵具層の凹凸に加え、キャンバスのたわみや、画面の亀裂が確認できます。

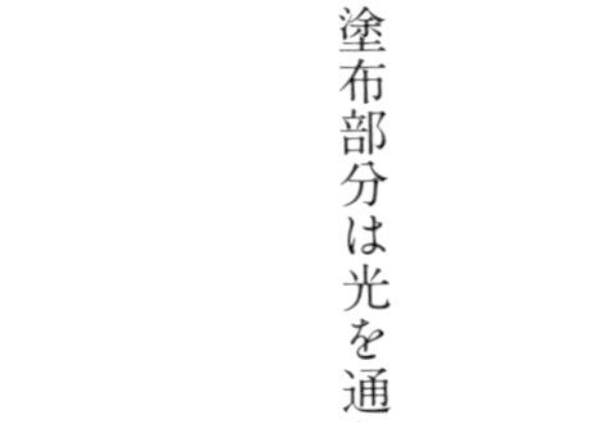

透過光線による調査
明るくなっている部分が光を透過した箇所です。光の透過によって、絵具層の亀裂箇所が確認できます。

●紫外線

紫外線照射は自然光下での観察とは異なり、特に加筆・補彩跡や、作品保護のために塗布されたニスの状態を把握するのにとても有効です。なぜなら、加筆・補彩箇所は暗色反応を示すからです。最近では修復前の作品調査に限らず、屋外の石造文化財に発生する菌類や植物などの着生生物除去にも紫外線が用いられています。

●赤外線

赤外線は、墨や木炭などの黒色に反応しやすい性質があります。通常光では見ることができなかった下絵や、モチーフの下に隠された文字などを浮かび上がらせます。

●X線

発見者ヴィルヘルム・レントゲンの名をとって、別名「レントゲン線」とも呼ばれます。放射線の一種で波長による透過性を利用し、人体の臓器や骨の撮影を行うのと同じように、支持体の構造や一部の描画材料、画面の下に描かれている別の絵や下描きなど、主に作品構造上の状態を知るために役立ちます。また、レントゲンを進化させたＣＴ（コンピューター断層撮影装置）技術は、文化財調査にも用いられており、近年では興福寺阿修羅像④の原型となった塑像の調査などで注目を集めています。なお、X線は専門家による慎重な取り扱いが何よりも重要となります。

紫外線による調査
発光して見える部分が、亀裂箇所に発生したカビです。

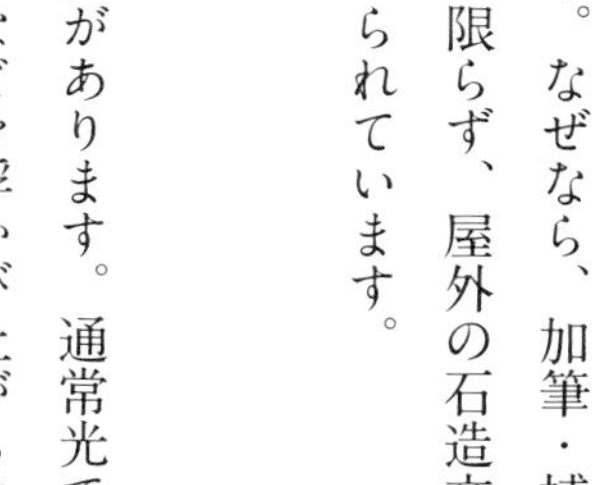

④ 興福寺阿修羅像
２００９年、文化財専用の大型X線ＣＴスキャナーを使い、天平彫刻である興福寺（奈良県）の阿修羅像をはじめ、八部衆・十大弟子像の三次元画像を撮影。およそ１３００年以上前の技術や構造、そして歴代の修復過程についての調査・研究が成されました。

COLUMN 3

光の性質は波長により異なる

光の性質は、波の長さによって異なります。たとえば、紫外線は肉眼で見える光より波長が短く、逆にX線より長いです。紫外線は皮膚の奥まで届いて、日焼けの原因にはなりますが、体内を通り抜けることはできません。一方で、X線は体内の筋肉や臓器などを透過しますが、歯や骨に対しては途中で止まってしまいます。なぜなら、骨は他の肉体を構成する部位に比べて、極めて分子密度が高いためです。

物体に光を当てると、後方の壁に影ができます。同様にレントゲン撮影もX線が当たった（＝透過した）箇所は黒く、当たらなかった（＝不透過）部分は白く写ります。よって、レントゲン写真では歯や骨が白っぽく、筋肉などは黒く写っているはずです。次回の健康診断や人間ドックの際には、ぜひ、注意深く見てみましょう。

紫外線は、波長の長さによってUVA（紫外線A波）とUVB（紫外線B波）、そしてUVC（紫外線C波）の3つに分けられます。UVCはオゾン層に吸収されるため、地表には届きません。私たちの肌に悪影響をもたらしているのは、UVAとUVBの2つの光線です。

UVBは皮膚の奥までは届きませんが、サンバーン（肌が赤くなり、やけどを起こした状態）を発生させメラニン色素を作ります。一方、UVAは、UVBのように急激な変化を生起させませんが、ゆっくりと肌を黒くするサンタンの原因になっているのです。また、皮膚の奥にある真皮まで届くため、シミやそばかすの原因になります。

step 3 実体顕微鏡による調査

続いては、実体顕微鏡による調査について説明していきたいと思います。〝実体〟とは、調査対象を〝そのまま〟の状態で観察するという意味です。対物レンズ（観察対象物側のレンズ）から接眼レンズ（観察者の目に接するレンズ）まで、双眼で立体視が可能な機材が普及しつつあります。

用途によって、数十倍から数百倍までさまざまな倍率の機材が存在しています。レンズの倍率だけでなく、観察しやすく長時間作業にも耐え得るアームの操作性なども非常に重要です。

また、光を利用した光学顕微鏡では可視光より小さい物質、たとえば、ナノメートル（10億分の1メートル）単位の構造物を観察することは不可能です。その場合には、光の代わりに短波電子線を用いた走査電子顕微鏡（SEM）を使って調査します。同機は非常に高額であるため、その設備は主に公的研究開発機関や企業の品質検査センターなどに限られています。しかし、そうした機関への持ち込み検査が可能です。

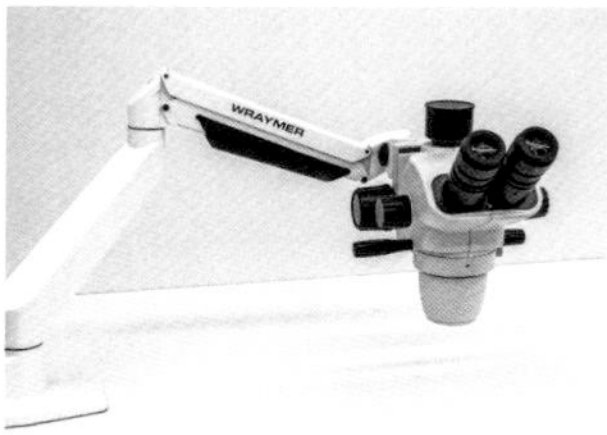

調査に使用する実体顕微鏡

近年、パルス状のテラヘルツ波⑤を対象物に照射することで、他の光では見えなかった対象物内部の状態を知ることができるようになりました。分光学的「フィンガー・プリント」（固有の指紋スペクトル）によって、従来の光線および電子線では困難であった染料や展色剤、ニスなどの表面保護剤に含まれる有機物を特定することが可能です。こうした特性から、絵画作品の成分および構造計測や、修復状況の確認の際、より正確かつ、定量的なデータによって把握できるようになりました。

芸術作品や文化財に用いられている素材は、時代によりそれぞれ異なります。そこで使用されている原材料を特定することで、美術史研究の充実はもとより、制作時期判定による真贋鑑定の一助になるものと考えられています*ⓐ。

⑤　テラヘルツ波
光波と電波の中間周波数領域にある電磁波。布や紙、木材、プラスチック、陶磁器などを透過する特性があり、文化財や美術作品の非破壊調査に応用されています。

調査方法②　破壊調査（微量のサンプル採集による化学分析）

もう一方の「破壊調査」とは、一体どのような方法でしょうか。〝破壊〟と聞いて、芸術作品や文化財を破壊することを想像して、驚かれた方も多いと思います。しかし実際には、調査・分析サンプル（試料）として、作品から原材料などを大がかりに採取するわけではありません。

ただし、破壊調査では、サンプルの物質のサイズや吸着力、質量あるいは疎水性などの違いを利用し、成分ごとに分離する「クロマトグラフィー」などのように、サンプルを溶解させたり、時には燃焼させたりする必要もあります。そのため、たとえ美術的な価値を損なわないケースでも、サンプルの現状維持が叶わないという理由で、総じて文化財には不向きな調査方法といえるでしょう。

最近では剝落した画材の一部を調べるケースが主流で、調査目的で作品からサンプル採取を行うことはほとんどありません。

爆破物探知から、未来のスマホまで!! テラヘルツ波の能力

テラヘルツ波は光波と電波の中間領域に当たり、布や紙、木材、プラスチック、陶磁器に用いられる土や石などを透過する特性から、近年では、文化財や美術作品の非破壊調査へ応用されはじめています。

一方で、爆発物で使用される化学物質を含む幅広い素材の**分光学的「フィンガー・プリント」**を検出することが可能なため、従来のX線調査や金属探知機では不可能であったプラスチック爆弾や引火性液体の発見にも効果を発揮しつつあります。また、病理組織診断など医療分野への応用や、禁止薬物の識別・特定などに関しても、その幅広い効用が期待されています。

テラヘルツ波の市場規模は、市場全体では2014年の5470万ドルから、2024年には12億ドルにまで拡大すると見込まれているため、成長市場を当て込んでベンチャー企業の参入が相次いでいます。また、真空チャネルトランジスタの実用化によって、テラヘルツ波がモバイル用途の超高速通信に利用可能となることに対しても期待が高まっています。

先頃、科学技術立国再生に向け、我が国が今後、重点的に取り組むべき基幹技術戦略が提示されましたが、その中に「電磁波のテラヘルツ波による計測・分析技術」も含まれています。

分光学的「フィンガー・プリント」：化合物の構造情報となる、構造記述子の一つです。文字通り「指紋」という意味であり、たとえば多くの生体分子、タンパク質、爆発物などは、0.1から5ヘルツの周波数で、他にはない特徴的な吸収線を示します。これが、いわゆる分光学的「フィンガー・プリント」です。

CHAPTER THREE

第3章 絵画作品の修復を知る

洋画の歴史

本章から、作品に対する主要な修復材料や、技法を紹介していきます。ここまで読んでいただき、すでにおわかりのことかと思いますが、対象となる美術作品や文化財の状態は、一様ではなく個々に異なっています。ここで紹介している処置は、あくまでその一例であることを理解した上で、慎重な対応が必要です。

最初に、油彩画を中心とした洋画の技法と、その修復方法について説明していきます。そこで、まずは「洋画」という言葉の定義と、その起源についてかんたんに触れておきたいと思います。

日本は明治維新後に文明開化を目指し、さまざまな分野で西洋からの諸技術を積極的に取り入れていました。美術も例外ではなく、1876年に工部省の管轄である工部大学校の付属機関として、日本初の美術教育機関である工部美術学校①が設立されました。設置学科は、「画学科」と「彫刻科」の2科のみでした。このことは、同校が純粋な西洋美術の教育機関であり、当時の「美術」には近世以前の日本芸術が含まれていないことを端的に表しています。イタリアの画家である、アントニオ・フォンタネージ（Antonio Fontanesi, 1818〜1882年）や彫刻家のヴィンチェンツォ・ラグー

① 工部美術学校
その後、米国出身のお雇い外国人、アーネスト・フェノロサ（Ernest Francisco Fenollosa, 1853〜1908年）の提言などにより、日本美術再興と国粋主義が台頭する、1883年に廃校しました。

ザ（Vincenzo Ragusa, 1841〜1927年）といった、その頃の〝お雇い外国人〟の顔ぶれを見れば、政府がいかにルネサンスの中心地であったイタリアを、当時の美術先進国と考えていたかがわかります。

こうした流れを受けて、1873年、ドイツ語の「Kunstgewerbe」を翻訳した「美術」という言葉が生まれたのです。「Kunstgewerbe」は19世紀から使われはじめた言葉で、Kunst（芸術）とgewerbe（工業）という2語を合成したものです。

また、新たにもたらされた「洋画」に対し、従来「大和絵」と呼ばれていた日本固有の絵画表現は、以降「日本画」と呼ばれるようになります。

その後、1897年には、東京美術学校（現在の東京藝術大学）が岡倉天心によって新設されます。さらに開校から9年後、パリ留学から帰国した黒田清輝（1866〜1924年）を教授に迎え入れて西洋画科が設置されるに至ります。ここから日本における、いわゆる「洋画」の普及・発展が本格化しはじめます。

さて、主要な洋画技法としては、現在最もポピュラーな「油彩」と油絵具発明以前に隆盛を極めていた「フレスコ」「テンペラ」を挙げることができます。そこで、次節以降では、これら各技法の特徴とその修復方法について詳述していきたいと思います。

フレスコの技法と材料

「フレスコ」は、水酸化カルシウム（消石灰）を主成分とする建築材料である漆喰素地に、水で溶いた顔料によって描きます。漆喰が生乾き、つまり「フレスコ（新鮮）」である状態に描くことからこの名がつきました。乾燥過程で起きる化学反応により、色を定着させる技法です。

その歴史は古く、紀元前18世紀のフレスコ画がギリシャ・クレタ島のクノッソスから発見されています。前述の未乾燥の漆喰壁（イタリア語：stucco、ストゥッコ）に描く「ブオン・フレスコ（湿式法）」に対して、乾燥した壁にビアンコ・サンジョヴァンニ（純度の高い炭酸カルシウムを主成分とする）やカゼインなど定着促進剤であるバインダ②（媒材）を加えて用いる「フレスコ・セッコ（乾式法）」が主な技法として知られています。さらに、両者の併用、あるいは中間技法としての「メッゾ・フレスコ（半湿式法）」もあります。

フレスコ画は、壁面あるいは支持体の上に塗られた漆喰地に描かれるため、表面から染み出てくる石灰水（主成分は炭酸カルシウム $CaCO_3$）が空気中の二酸化炭素と反応し、透明な結晶被膜（カルサイト）を作り出します。いわば、再び石灰岩に戻るわけです。色材をその中に閉じ込めたまま定着させるため、高い耐久性を有します。いまから

② バインダ
展色剤、結合材あるいは塗膜形成材を指し、顔料を均一に分散させて固着させる成分です。

およそ2万4000年前に描かれた、人類最古の絵画といわれるフランスの「ラスコー壁画」は、洞窟③内の湿度と炭酸カルシウムが画面の長期間にわたる保存効果を高めていることから、「天然のフレスコ画」と呼ばれています。

一般的なフレスコ技法であるブオン・フレスコは、バインダを必要としないので、顔料の色そのものを見せることができます。したがって、強く明るい発色が特徴です。一方、同技法は顔料を水のみで溶くため、下地が生乾きの状態でなければ成立しません。

テンペラの技法と材料

「テンペラ」とは、顔料とバインダを混ぜて作られた水溶性絵具の総称で、ラテン語の「テンペラーレ（混ぜる）」に由来しています。そこからこの絵具を用いて絵を描く技法のことを指すようになりました。テンペラで用いられるバインダには、卵、膠、アラビアゴムなどがあります。

「卵テンペラ」の主な材料は卵と水、酢で、卵に含まれるリン脂質のレシチン④が乳化剤として作用することで、エマルジョン（乳濁液、乳剤）となります。これは、酢と油が卵を介して乳化するマヨネーズと同じ原理です。このようなバインダに顔料を混ぜ

③ 洞窟
洞窟や鍾乳洞は、石灰岩が地表に隆起し、酸性雨により溶かされ生成されたものです。石灰岩は珊瑚や二枚貝などが化石化した生体鉱物です。そのため、洞窟や鍾乳洞の壁面には炭酸カルシウムが発生し、水分と化学反応を起こしやすい状態を作り出しています。

④ レシチン
卵黄、肉類などに豊富に含まれるリン脂質の総称です。水と油の両方に馴染みやすい性質を持つため、食品加工の乳化剤としても利用されています。

て描くことで、卵のタンパク質が乾くことにより固着、顔料を定着させる技法です。

色材を水や酢などと卵に溶いた「テンペラ・マグラ（＝卵テンペラ）」の他、テンペラ・マグラの卵に油を混ぜ、絵具の伸びや耐久性を改善した「テンペラ・グラッサ」などの技法もあります。後者は油性分や樹脂分を混合することにより油絵具との混合技法も可能となりますが、前者に比べ、やや明度に欠ける傾向があります。その後、ベルギーの画家ヤン・ファン・エイク⑤（Jan van Eyck, 1395頃〜1441年）らによって改良され、亜麻仁油などの植物性の乾性油に顔料を溶くという、油絵具を用いた技法へと発展していきました。

また卵黄以外にもガム類や膠を使ったものもテンペラと呼びますが、下地は板に膠で石膏を塗った「石膏地」であり、多くの場合、その上に金箔を配していました。そのため、別名「黄金背景テンペラ」とも称されています。

のちに油彩画が発展するまで、「フレスコ」、次いで「テンペラ」は絵画の主要な表現技法でした。

⑤ ヤン・ファン・エイク
初期フランドル派の画家で、乾性油や樹脂などを用いて、従来の油彩画法を改良し、細密な描写と鮮やかな着彩法を確立しています。

テンペラ画の技法例と代表的な作品

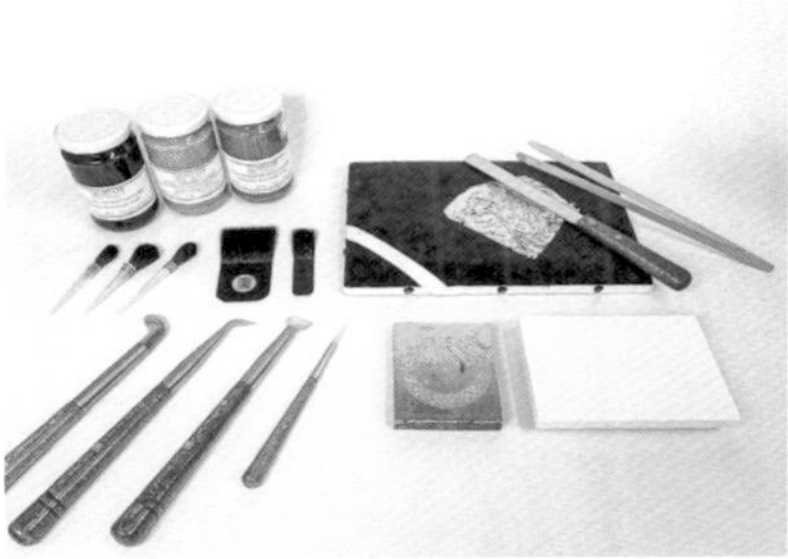

テンペラ画制作道具
イタリア古典技法で用いられていた道具と材料です。石膏地、ボーロ、イコン筆、金箔、箔盤、箔ナイフ、瑪瑙《めのう》棒などがあります。

黄金背景テンペラ画
中央の描画部分はレオナルド・ダ・ヴィンチ《白貂を抱く貴婦人》の部分模写です。
荒井桃子（横浜美術大学・修復保存コース５期生）制作作品

テンペラ絵具による描画
卵から作った卵テンペラと顔料を練り合わせ、テンペラ絵具を作ります。線を重ね描画します。

金箔貼り
エタノール水を塗布し、箔刷毛を用いて金箔を１枚ずつていねいに貼っていきます。乾燥後、瑪瑙棒で磨き上げます。

ヤン・ファン・エイク《アルノルフィーニ夫妻の肖像》
1434年、82.2×60cm、板に油彩、
ナショナル・ギャラリー（ロンドン）蔵

劣化する運命だった《最後の晩餐》

有名なレオナルド・ダ・ヴィンチ（Leonardo da Vinci, 1452〜1519年）の**《最後の晩餐》**はテンペラ画です。湿度が高い食堂の漆喰壁に描かれた同作品は、剥落などの損傷が激しかったといいます。それは、フレスコに比べてテンペラは温・湿度変化に弱いうえ、通常は板などを支持体としますが、この作品は相性が決して良いとはいえない漆喰壁に描かれていたからです。テンペラ画で防腐機能を果たすのは酢酸という酸性物質ですが、漆喰壁は強アルカリ性であるため、顔料が凝固しボロボロになってしまったのです。

その後、食堂は17世紀末には馬小屋に転用され、二度の大洪水によって壁画全体が水浸しになっています。さらに1943年、アメリカ軍の空爆によって建物が半壊し、それ以後3年間は無蓋状態のまま放置されていました。しかし、こうした試練を乗り越えて、いまもなお私たちに感動を与え続ける《最後の晩餐》こそ、まさに〝奇跡の絵画〟と呼ぶに相応しい作品といえるでしょう。

ところで、「テンペラ」と聞き、われわれ日本人が思い浮かべるのは天ぷらではないでしょうか。事実、天ぷらの語源は、ポルトガル語の〝混ぜる〟ではないかという説が存在しています。

他方、『日本使節伝記』によれば、1584年に日本からポルトガルのリスボンを訪れていた**天正遣欧少年使節**が、「9月18日の四旬節（クアトロ・テンプラシ）に魚の揚げ物を食べた」と書かれています。この「クアトロ・テンプラシ」が天ぷらの語源ではないかとも言われています。

しかし、同じ「テンペラーレ（混ぜる）」から派生した料理法と技法の類似性から考えれば、案外「テンペラ」こそ、天ぷらの語源かもしれません。

レオナルド・ダ・ヴィンチ《最後の晩餐》：1495〜1498年頃、880x460cm、テンペラ・漆喰、サンタ・マリア・デッレ・グラツィエ教会（イタリア）蔵
提供：Universal Images Group/アフロ

《最後の晩餐》：最新の調査によれば、《最後の晩餐》からは、テンペラ以外の成分も発見されています。詳細な結果が判明するには、もう少し時間が必要なようです。

天正遣欧少年使節：イエズス会の巡察師アレッサンドロ・ヴァリニャーノ（Alessandro Valignano, 1539〜1606年）の発案により、1582年（天正10年）ローマへ派遣された伊東マンショ、千々石ミゲル、中浦ジュリアン、原マルティノの４名の少年を中心とした使節団です。

油彩の技法と材料

続いて、現在最もポピュラーな技法と言える「油彩」について見ていきましょう。

油彩画は支持体、絶縁層、下地、絵具層に加え、必要に応じて保護層のバーニッシュ（いわゆるニスのこと。乾性油と樹脂に、鉱物由来の有機溶剤、あるいはテレピン油などを混合したもの）から成っています。

使用される顔料と乾性油（油絵具）の成分によって乾燥特性が異なるため、油絵具が乾燥に要する時間はまちまちです。また、塗膜の接着性をより強固にするため、下層から上層にいくに従って、少しずつ油分を多くしていくという特徴があります。

油彩道具

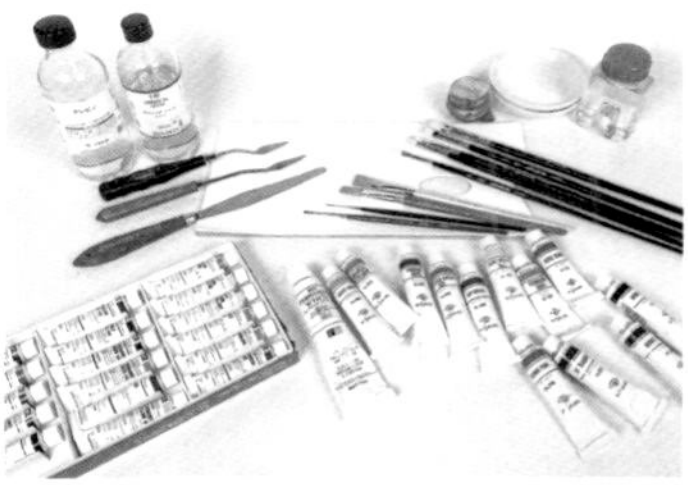

基本的な油彩道具です。一般的に、油絵具はチューブに入ったものが販売されています。油彩では、油絵具の他に、展色剤（乾性油、調合油）、揮発性油、豚毛の筆、ペインティングナイフ、パレットなどを使用します。

油彩画の構造

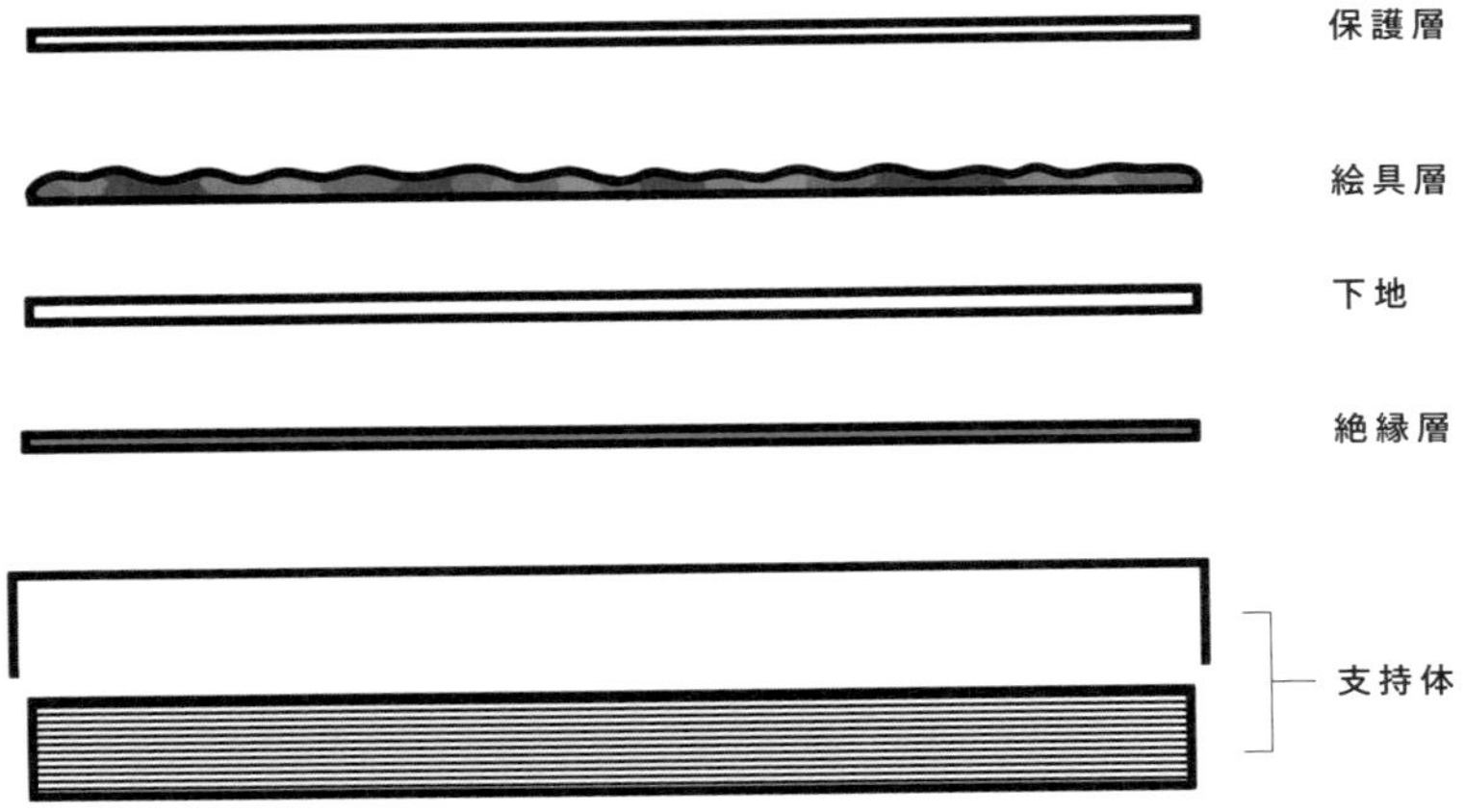

・**保護層**：絵具層の上に保護目的で施される層です。描画終了から１年程度経過した後に、汚れを防ぎ、画面を保護するため保護バーニッシュ（ニスまたはワニスとも呼びます）を塗布します。

・**絵具層**：絵具により、画が描かれている層を指します。

・**下地**：絵具の発色を良くして、描画特性を高めるため下地を設けます。上層からある程度の油分を吸収することで、絵具の固着を強固にする役割も果たしています。

・**絶縁層**：油絵具は乾性油の酸化重合によって固化する絵具であるため、布地などに直接描画すると布を酸化させてしまいます。それを防ぐために、支持体と絵具層の間に絶縁層を設けます。

・**支持体**：キャンバス（麻や綿など）と、木製パネルあるいは木枠でできています。

＊保護層を施していない油彩作品も、最近では増えています。

油絵具とはどんな画材?

油絵具の成分は「顔料」「展色剤」「助剤」の3つに大別されます。

顔料とは、絵具の色となる材料のことです。主に岩石・鉱物由来の鉱物や金属などから成る「無機顔料」と、動物・植物由来の染料や色素などから作られた「有機顔料」に分かれています(次ページ表1、表2参照)。いずれも天然の成分のものと、化学合成されたものがあります。「無機顔料」は化学的にも不活性で安定した顔料であるため、保存性に優れ、光に対しても比較的不変です。加えて隠蔽力の強い色が多く、吸油量が少ないことから早く乾燥するという特徴もあります。「有機顔料」は、色鮮やかで透明度の高い色が多い一方で、光には弱く退色しやすい傾向にあります。

展色剤は、上記の顔料をキャンバスをはじめとする支持体に固着させる成分です。リンシード(フラックスシード)オイル(亜麻仁油)やポピーオイル(けし油)といった植物性の油を用います。これらの油成分が、酸素を取り込むことで化学変化を起こして顔料を固着させるためです。

助剤とは、文字通り絵具の性能を高めるのを助けるものです。蜜蠟などの「粘性調整剤」や、金属石鹸⑥に代表される「乾燥促進剤」、展色剤と顔料の馴染みを良くする「界面活性剤」、そして「防腐・防カビ剤」などを指します。

⑥ 金属石鹸
金属と長鎖脂肪酸の結合で構成された化学物質。金属が有する触媒作用を利用して、硬化および接着促進効果をもたらします。

表1　**代表的な無機顔料絵具とその成分**

無機顔料の種類	代表的な色名
亜鉛系	ジンクホワイト
アルミニウム系	カオリン、ジンクフェライト
アンチモン系	チタニウムイエロー、ナポリイエロー
カドミウム系	カドミウムイエロー、カドミウムレッド
カルシウム系	チョーク
クロム系	ビリジアン、ストロンチウムイエロー
ケイ素系	ウルトラマリン
コバルト系	コバルトブルー、トルコブルー
水銀系	バーミリオン
炭素系	アイボリーブラック
チタニウム系	チタニウムホワイト、コバルトグリーン
鉄系	ベンガラ
銅系	ペルデクリ、エメラルドグリーン
鉛系	シルバーホワイト、クロムイエロー
ニッケル系	ニッケルチタンイエロー、コバルトブルー
バリウム系	バリウムイエロー
ビスマス系	ビスマスイエロー
ヒ素系	オービメント、レアルガー
マンガン系	マンガングリーン、マンガンブルー
複合型	ウルトラマリン、セラミックホワイト

表2　**代表的な有機顔料絵具とその成分**

有機顔料の種類	代表的な色名
アゾ系	ハンザイエロー、ベンジジンイエロー
アントラキノン系	コチニール、マダー
イソインドリノン系	インドリンイエロー、インドリンオレンジ
インジゴイド系	インジゴ、チオインジゴ
オキサジン系	オキサジンパープル
キナクリドン系	マゼンタ
キノフタロン	キノフタロンイエロー
金属錯塩顔料	フタロシアニンブルー、フタロシアニングリーン
縮合系	アニリンブラック
染め付け色素系	ローダミン
ニトロソ系	サップグリーン
ピラゾロン系	ハンザイエロー、ベンジジンイエロー
ピロール系	ジケトピロロピロールレッド
フタロシアニン系	フタロシアニングリーン
ペリレン系	ペリレンマルーン、ペリレングリーン

ホルベイン工業技術部編『絵具の科学 改訂版』中央公論美術出版、2018年、31〜37ページを基に、
藤原大地（横浜美術大学・修復保存コース３期生）が作成

COLUMN 6

下地で変わる「印象派」作品の〝印象〟

1860年代に活躍したクロード・モネ（Claude Monet, 1840〜1926年）やピエール＝オーギュスト・ルノワール（Pierre-Auguste Renoir, 1841〜1919年）は、当初昔ながらの下地が赤茶色、あるいはグレイのキャンバスに作品を描いていました。しかし1870年代に入ると、彼らに加えてカミーユ・ピサロ（Camille Pissarro, 1830〜1903年）らは、明るいグレイ、またはベージュ色の下地に絵を描きはじめました。一体なぜでしょうか。

それは、乾燥に伴い、硬化、透明化する油絵具の作用によって、下地の明暗が表層にまで強い影響を与えるからです。つまり、ある種の明度調整機能を果たしていたといえます。1880年代までには前述のモネやルノワール、ピサロなど印象派と呼ばれる画家の多くが、白または灰白色の下地を好むようになりました。アトリエから出て眩しい陽光を捉えた明るい作風の実現には、まさに〝縁の下の力持ち〟である下地の存在を必要としていたからです。

時代はくだって第一次世界大戦後から第二次世界大戦前になると、「エコール・ド・パリ」を代表するレオナール・フジタ（藤田嗣治、1886〜1968年）は、まるで象牙のような〝乳白色の肌〟を持つヌードや肖像画で一世を風靡します。その秘密は、当時シーツとして使われていた、繊維が細かく表面が滑らかな布を貼った支持体と、下地や絵具に混ぜた和光堂のシッカロール（タルカム・パウダー＝珪酸塩鉱物の一種）でした。ところがテカリを抑え、しっとりとした裸婦の肌を表現する魔法の粉は、油を吸ってしまうためか、残念ながら現在では、肌の部分に細かいひびが入っている彼の作品を多く目にします。

カミーユ・ピサロ《ピサロ家からの眺め、エラニー》
1886〜1888年、キャンバスに油彩、
アシュモリアン美術館蔵

油絵具の歴史

12～13世紀に登場したといわれる油絵具を改良し、細密な描写と鮮やかな着彩法を確立したのは、前節でご紹介したヤン・ファン・エイクでした。その後、展色剤の改良によって黄変が減り、絵具の固化や支持体への定着が堅牢になるにしたがい、油彩画表現はより多様でダイナミックなものとなっていきます。

こうした技術革新は、絵画黄金期であるバロック時代を代表するピーテル・パウル・ルーベンス（Peter Paul Rubens, 1577～1640年）やレンブラント・ファン・レイン（Rembrandt Harmenszoon van Rijn, 1606～1669年）、ディエゴ・ベラスケス（Diego Velazquez, 1599～1660年）ら巨匠たちの傑作の誕生の一助となりました。

19世紀以前は、それぞれの画家たちが独自の処方で顔料と展色剤を混ぜ合せ絵具を作っていました。そのため質的なばらつきだけでなく、保存性にも問題がありました。また、豚など動物の膀胱を利用した容器に保存していたため、〝使い切り〟を前提としていました。ところが、19世紀半ばに錫製の金属チューブが開発されると、品質の安定した既製品が増え、携帯にも便利になりました。さらには、鮮やかな化学合成顔料が販売されるようになります。コバルト・ブルーやヴィリジアン、カドミウム・イエローなどに加え、印象派の絵画では〝空色〟の起源となったセルリアン・ブルーも盛んに使われました。

そして、ほぼ同時代を生きた浮世絵界のスーパー・スターである葛飾北斎（1760～1849年）と歌川（安藤）広重（1797～1858年）は、その頃輸入されていた「プルシアン・ブルー（＝日本名：べろ藍）」を好んで使い、それぞれの代表作となる《富嶽三十六景⑦》や《東海道五十三次》を描きました。欧米では、こうした鮮やかで美しい青を、ヨハネス・フェルメール（Johannes Vermeer, 1632～1675年）の「フェルメール・ブルー」（ラピスラズリ由来）と比して、「ジャパン・ブルー」あるいは「ヒロシゲ・ブルー」と呼んでいます。

芸術アカデミーが支配していた19世紀中頃のフランス画壇では、歴史画や宗教画、あるいは肖像画が価値あるものとされ、風景画や静物画は軽んじられていました。ところがモネやルノアールをはじめ印象派の画家たちは、当時のライフスタイルや風景を描くことを好み、アトリエを出て屋外で作品を創作していました。彼らが利用していたものこそ、先に述べた金属製チューブ入りの絵具でした。彼らは、こうした新しい画材の研究にも積極的に関わっていたため、印象派の用いた絵具は品質が均一かつ安定的であり、それゆえに、いまに至るまで保存状態の良い作品が多く遺されています。

現在では、ロールミル⑧によって、原料が充分に練り合わせられ、アルミニウム製チューブに入った油絵具を誰でもかんたんに購入することができます＊ⓐ。

⑦ 富嶽三十六景
1831～1833年頃、25・7×37・9㎝、多色版木版画

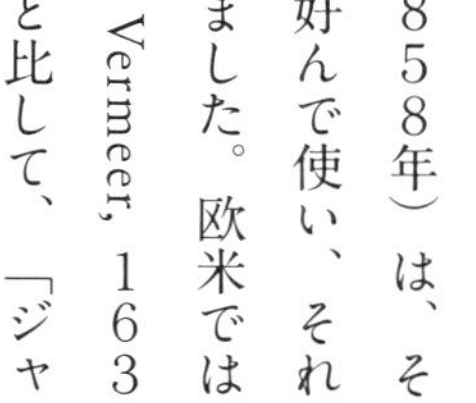

⑧ ロールミル
狭いロール間に押し込むことによる圧縮と、ロール速度差によるせん断により高粘度ペーストを均一に混練・分散する装置です。

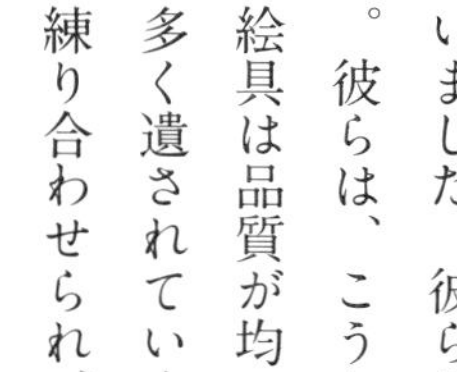

画像提供：株式会社クサカベ

油彩作品の劣化と損傷

キャンバスの劣化・損傷

キャンバスは麻や綿の植物繊維、または合成繊維などを織り上げたもので、糸の太さも極細目から極太目まで多様です。植物繊維の主成分であるセルロース⑨は、空気中の酸素によって酸化するため経年劣化していきます。こうして経年や、紫外線などの光劣化により酸化が進むと、キャンバスは硬化し脆くなります。そのため、張り直しの時などに無理に引っ張ると、画布が裂けるといった深刻な損傷を引き起こす危険があるため、慎重な取り扱いが必要です。

作品裏面はキャンバスが剝き出しになっており、温・湿度の変化によって伸縮を繰り返しているため、絵具層に亀裂や剝落などの深刻な影響を与えないように、ゆがみやたわみ、緩みがないか確認しておきます。そして、保存場所や管理状況を考慮した上で、汚れや埃、さらにはカビの発生などにも気をつけなければなりません。

⑨ セルロース
天然の高分子化合物の一種で、植物の細胞壁および繊維の主成分です。

キャンパスの損傷や絵具層の劣化

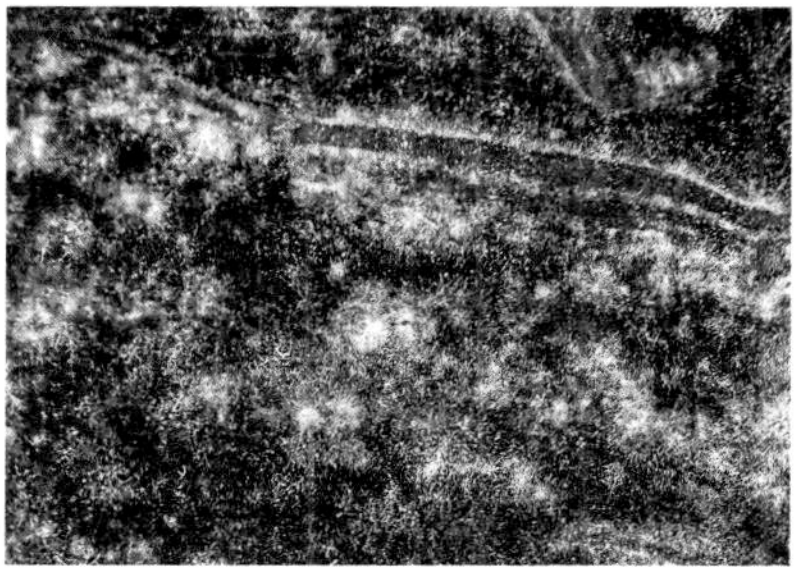

①カビの発生

画面に大量のカビが発生しています。白い部分が、カビです。

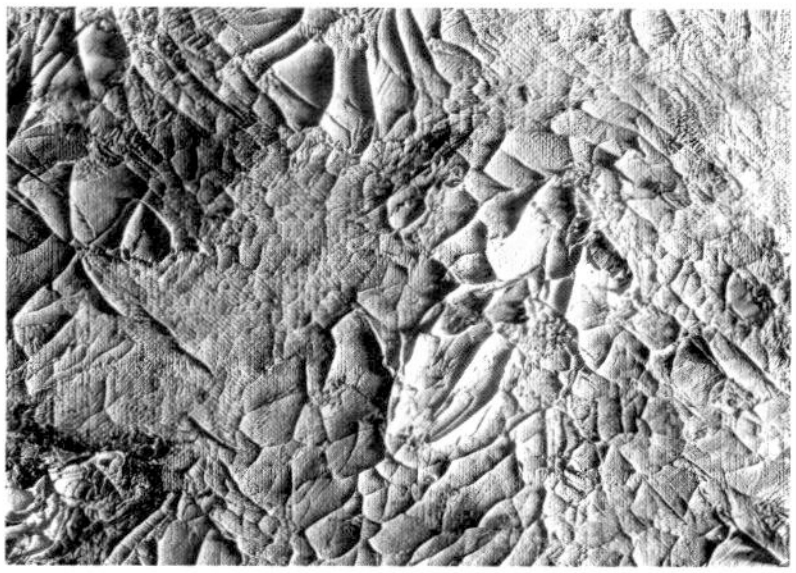

②絵具層の亀裂

画面全体に、亀裂が発生しています。

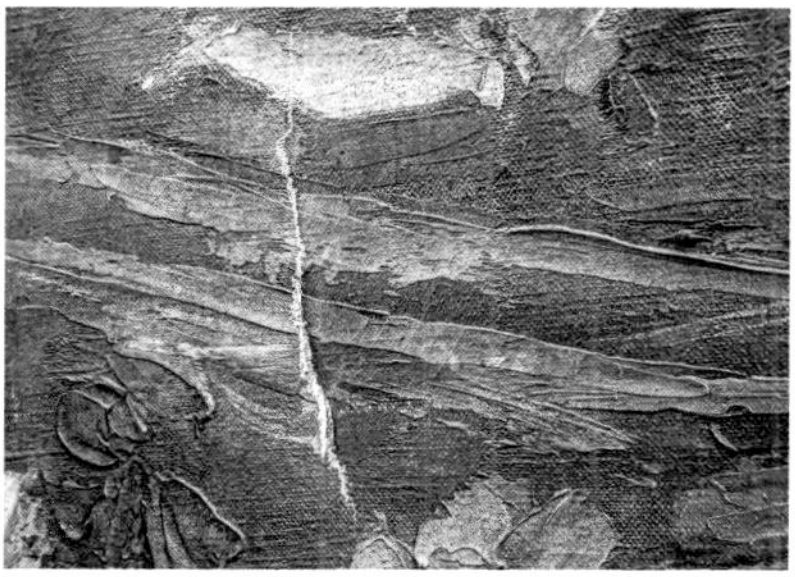

③キャンバスの損傷

物理的な衝突などにより、キャンバスが裂けている状態です。

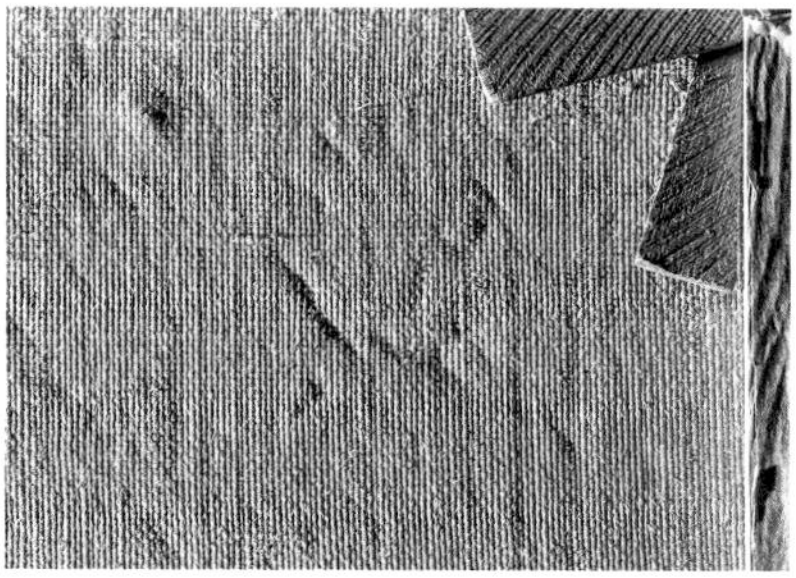

④キャンバスの緩み

絵具の収縮によって、画布に変形が生じています。

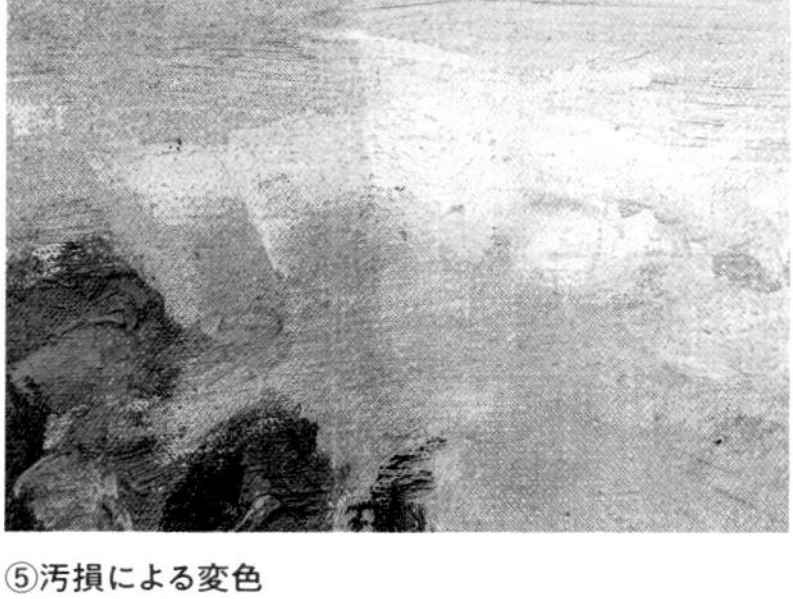

⑤汚損による変色

画面向かって右側のみ、クリーニング処置済みです。

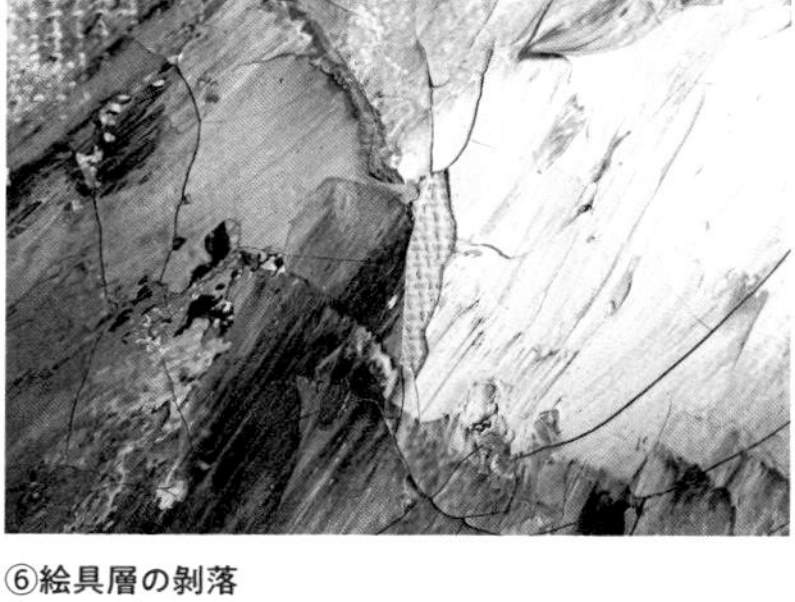

⑥絵具層の剥落

表層の絵具が剝がれ、下層が露出しています。

下地と絵具層の劣化・損傷

経年とともに、使用されている材質や技法によっては、画布の収縮（前ページ写真④参照）や絵具層に亀裂（前ページ写真②参照）が生じることもあります。放っておけば絵具が浮き上がり剥離（絵具が剝がれる状態）、さらには剝落（剝がれ落ちる状態／前ページ写真⑥参照）してしまうことすらあります。

また、外からの衝撃で、リング状・渦巻き状のような亀裂が生じるケースもあります。作品は黄袋や畳箱、中性保存箱などに入れ、移動・運搬の際には細心の注意を払いましょう。

絵画面の汚れ

画面保護用の、ガラスやアクリルが入っていない額装作品は、画面が剝き出しのため埃などの汚れが付着しやすい状態です（前ページ写真⑤参照）。また、展示、あるいは保存場所の温・湿度管理が適切に行われていないとカビが発生することがあります。カビの菌糸が画面表層のみならず、絵具層の深部まで侵食すると深刻な劣化を招いてしまいます（前ページ写真①参照）。

また、よく似た症状でも、白色あるいは透明・半透明の点状の「結晶様物質」（18ページ、第1章「結晶様物質、劣化生成物が作品に与える影響とその対策」参照）や、油分の劣化により絵具層が粉状に剝落する「チョーキング（粉状化）」は、カビとは対処法がまったく異なりますので、その見極めも重要です。

昨今の健康志向で減ってきてはいますが、長く企業の応接室や会議室などに掛けられていた作品は、たばこのヤニ（タール）が付着している場合も少なくありません。

油彩作品の修復処置

それでは、これまで説明してきたような油彩作品に生じた汚染、劣化、損傷に対して、作品調査結果に基づき施すクリーニング、そして修復処置に関する手順の一例を紹介しましょう。

step 1　画面洗浄および裏面のドライ・クリーニング

作品の状態や修復方針に基づき、可能であれば、まず画面と裏面のドライ・クリーニング（乾式清掃）を刷毛やコットン、小型掃除機などで行います。次に、溶剤テスト⑩により処置に適した溶剤を選択し、綿棒などで慎重に画面を洗浄します。

step 2　亀裂・剥離部分の補強

絵具層の亀裂や剥離に対しては、小筆などで接着剤を塗布・浸透させ、修復用コテア

⑩ 溶剤テスト
絵具層にダメージを与えず安全に洗浄を行うべく、実際に画面の端や側面など（作品全体に影響を及ぼしにくい、目立たない部分）で洗浄作業を行ってみて、使用する溶剤を決定します。

油彩作品の修復処置工程例

①画面の洗浄およびクリーニング
刷毛などで埃を払い、溶剤などを含ませた綿棒により、表面の汚れを除去します。

②裏面のドライ・クリーニング
刷毛や筆などを用いて、画布や木枠に付着した埃を取り除きます。

③亀裂・剥離部分の補強
画面から剥離した絵具を、接着剤（膠など）を用いて接着します。修復用コテアイロンを使用し、絵具が割れないように、温めながらゆっくりと接着します。

④キャンバスの変形修正と張り直し
木枠の変形や支持体であるキャンバスにたるみが生じている場合は、作品の状態に応じて木枠を交換し、キャンバスを張り直します。

⑤剥落部分の充填
剥落などにより生じた絵具層の欠損部分を充填剤で補填し、目立たないようにマチエールを整えます。

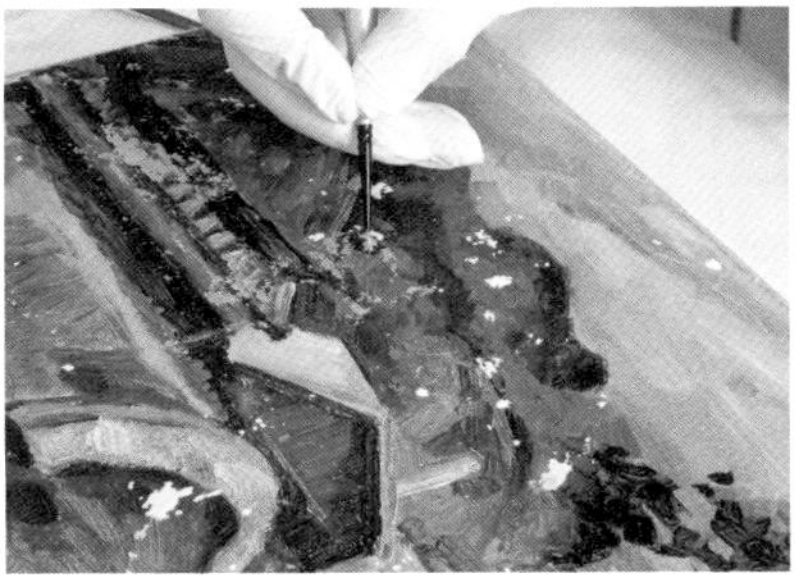

⑥補彩
充填整形した部分に水彩絵具などを用いて、周囲と違和感がないように彩色を施します。

イロンで温めながら浮き上がりを抑えて再接着します。こうした部分的処置に加えて、画面全体に接着剤を含浸させる方法などもあります。

step 3　キャンバスの変形修正と張り直し

キャンバスをもとの木枠から外しストレッチ用木枠に張り、たるみやゆがみ、膨らみ、凹みといった変形を修正します。必要に応じて、ホット・テーブル⑪などを利用し麻布や合成繊維などによる「裏打ち」を行います。その後は、できる限りもとの木枠を再利用し、キャンバスを張り直します。

その際、タックス・マージン（画布を木枠に留める釘を打つため、周囲にある余白）が断ち切られていたり、足りない場合には、補強用の布を貼り付ける「ストリップ・ライニング」処置を施す場合もあります。また、将来的にテンション（引っ張る力）が弱くなり緩みが生じることに備え、木枠の四隅や桟と親木のジョイント部分にクサビを入れておき、ハンマーで叩くことによって木枠を広げ、調整可能なように加工しておきます。

キャンバスの裂けや穴などの損傷に対しては、裏から破れた部分を塞いで布目を整え接着します。必要に応じて、修復部分を麻糸や布製パッチ（あて布）で補強しておきま

⑪ ホット・テーブル
天板の温度と吸引の調整ができる大型の修復機材です。作品全体を温めることができます。支持体の変形修正、接着剤の含浸、裏打ちなどの処置に用います。

木製のクサビを木枠の四隅や、桟と親木のジョイント部分に、ハンマーなどで叩き入れます。

す。なお、損傷の範囲が広かったり、キャンバスのダメージが深刻だったりした場合には、新しい布をオリジナルのキャンバス裏全体に貼り付け強化する、前述の裏打ち処置が有効です。

step 4　剥落部分の充填

剥落部分に膠とボローニャ石膏（硫酸カルシウムの二水和物）などで充填剤を作り、ブラッシュ・ストローク（筆勢・筆跡）や画面のマチエール（絵肌の凸凹）に合わせて整形します。充填剤にはさまざまな種類があるため、損傷状態に応じて選択します。

step 5　補彩およびニス塗布

後年になっても作品へのリスクがなく除去が可能なように、その際、経年による変色速度の差異を考慮して、水彩絵具や修復用樹脂絵具で充填部分を補彩していきます（補彩に油絵具は使用しません）。最後に、必要に応じて画面保護用のニスを塗布します。

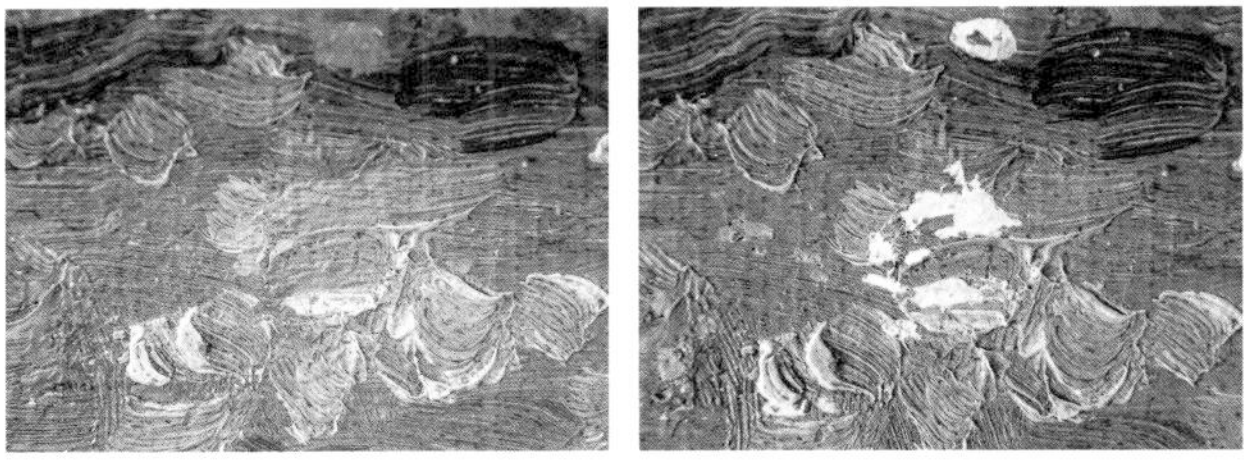

補彩の処置例。右が補彩前、左が補彩後。

日本画の歴史

奈良時代から平安時代にかけて、中国や朝鮮半島などから渡来した技法や様式で描かれた絵画は「唐絵《からえ》」と呼ばれていました。しかし、894年に遣唐使が廃止された後、10世紀頃に国風文化が興ると、日本独自の自然や風俗を主題として描いた「大和絵」が誕生します。日本の伝統絵画を総称して「日本画」といいますが、これは明治以降に西洋から伝えられた油彩画＝「洋画」と区別するために生まれた呼称です。1878年に来日した米国の東洋美術史家であるアーネスト・フェノロサが、1882年に美術団体龍池会⑫で行った講演「美術真説」で使用した「Japanese painting」の翻訳こそ、日本画という言葉の初出といわれています。

その後、近代日本画は、伝統的な技法や画材を用いつつ革新的な表現方法を求めて発展していきます。しかし、第二次世界大戦後には洋画と日本画といったカテゴリーや定義自体が曖昧となり、いまに至ります。

日本画の技法と材料

⑫ 龍池会 ― 急激な西洋化に危惧を抱いた政治家・佐野常民（1823～1902年）や文部官僚の九鬼隆一（1852～1931年）らが1878年上野の天龍山生池院に集まり、古美術鑑賞会や同時代作品の品評会を行いました。しかし、1884年に九鬼や岡倉天心らの文部省組が離反して新たに「鑑画会」を発足、後の東京美術学校の設立（1887年）へと至ります。残存勢力は同年日本美術協会と改称し、伝統絵画の保存を目指しました。

日本画は、絵絹（絹布）や和紙などの支持体全面に、にじみ止めのため、膠水、明礬《みょうばん》を溶いた礬水《どうさ》を刷毛で引いてから、膠で溶いた岩絵具や墨などで描いていきます。

岩絵具は、鉱物を粉砕・精製した「天然岩絵具」に加えて、近代に入ってからは「新岩絵具」（着色ガラス粉末）や「合成岩絵具」（水晶や方解石の粉末に、顔料や染料を付着させたもの）といった人工的な絵具も開発されています。

岩絵具は塗り重ねることで、鮮やかさを増していくという特徴があります。したがって、額装作品にはこの性質を活かした厚塗り手法がよく見られます。一方、軸装⑬の場合はあまり塗り重ねると、作品を巻く際に絵具の亀裂や剥離を招くため注意が必要です。

絵絹や和紙などを支持体とする日本画作品は、次ページの材料で構成されています。

⑬ 軸装
「軸装」とは、「額装」に対して、紙や布に描かれた絵や書を掛軸の形に仕立てる表装を言います。

日本画道具

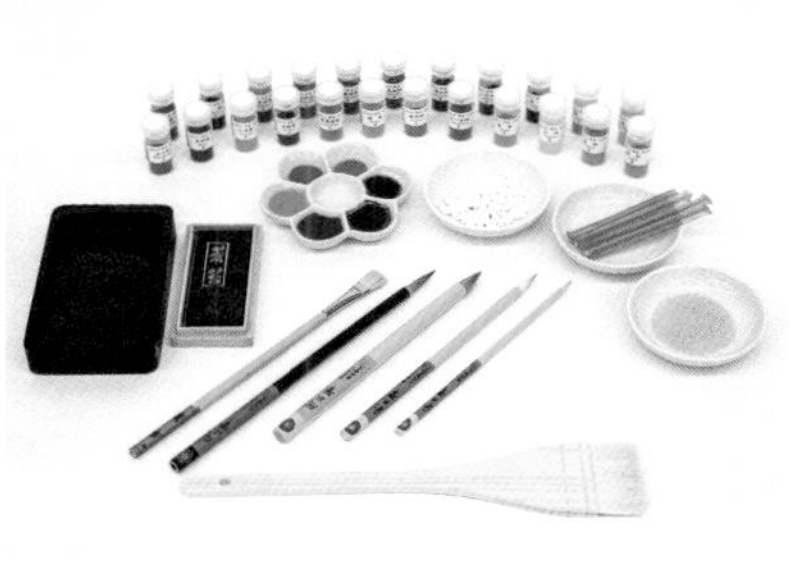

基本的な日本画道具です。岩絵具、膠、墨、筆、刷毛、絵皿などを使用します。岩絵具は、粒質の粗さによって16段階の粉末に分かれ、「青1番」のようにそれぞれに番号がつけられます。この番号が大きいほど粒子が細かいために淡く、逆に粗いほど濃い発色となります。

日本画の構造

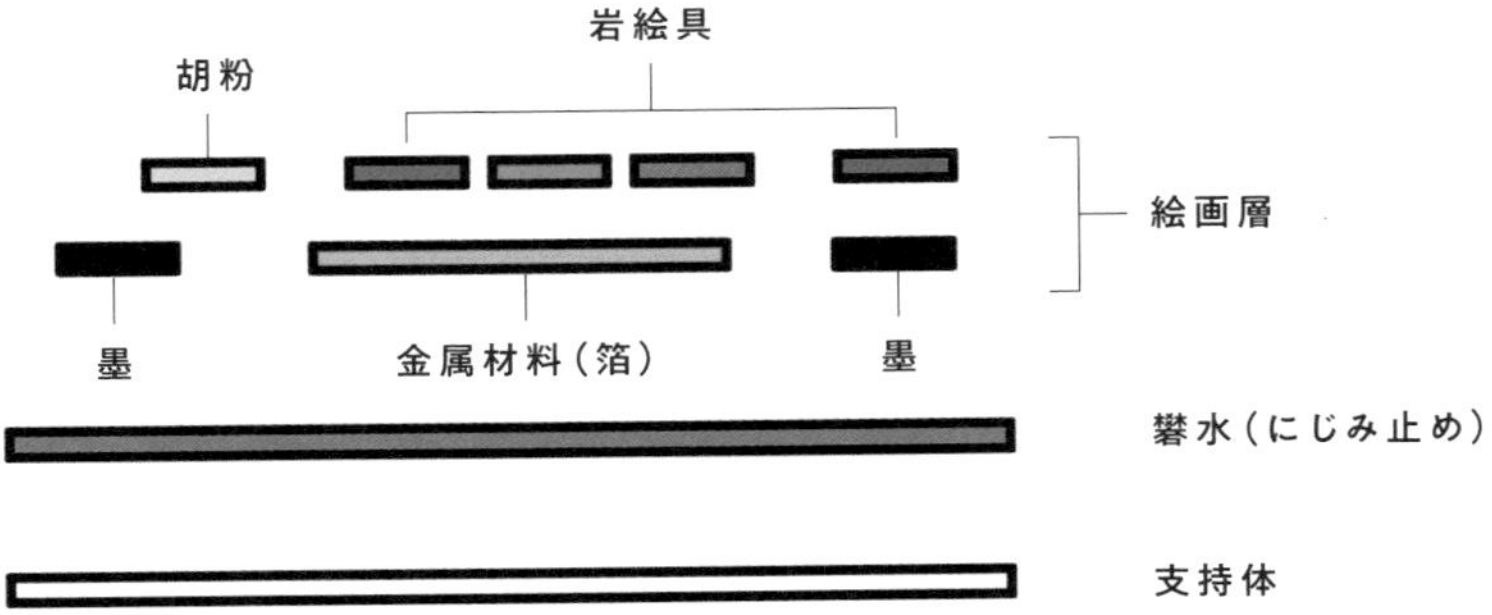

絵画層

・**岩絵具**：鉱物、貝殻、珊瑚などの天然素材を粉砕した顔料で、膠と混ぜて定着させます。岩絵具以外にも、動・植物由来の顔料を用いる場合があります。

・**膠**：動物の骨や皮などを煮出し、繊維質の高タンパク排出液を濃縮したものを固め、乾燥させて作られます。古代壁画や原始絵画の時代から使用され、日本画の制作においては、画面と絵具を接着する役割を果たします。

・**胡粉**《ごふん》：いたぼ牡蠣の貝殻を風化させ、砕いて精製した白色系顔料です。

・**金属材料**（箔）：金や銀などの金属を叩いて薄く延ばした（厚さ：10,000分の1㎜）箔や、粉末状にして膠水で溶かした金・銀泥として利用します。

・**墨**：最も代表的な墨色・黒色材料です。松材直火焚き法の「松煙墨」と植物性油の芯焚き法による「油煙墨」とがあり、製造年代や生産地などにより墨色が異なります。

礬水：膠水に明礬を溶かした混合液です。にじみ止めに使用します。支持体（和紙や絹など）全面に刷毛などで引きます。

支持体：膠による日本画特有の顔料定着が可能な素材を使用します。土壁や板から麻、絹、和紙まで、多種多様な素材が用いられます。

日本画作品の劣化と損傷

もとは墳墓や寺院などの壁面に描かれていたものが、次第に可動作品となるに至った日本画の歴史は西洋絵画と同様です。よって、日本画の支持体は土壁や板から麻、絹、紙まで、多種多様な素材が用いられますが、現在はしわ、折れ、ひび割れ、絵具の剥落などを防ぐため、掛軸などの装潢《そうこう》や額装に適した絹や和紙がその中心になっています。

この絹や紙も、経年により徐々に酸化し脆くなっていきます。さらに、黄色や茶色に変色していく傾向が見られます。また、絵具によっては、紫外線に弱く、退色しやすい性質のものもあります。加えて、しわやたるみを防ぎ補強のために、作品本紙の裏に貼り付けられた裏打ち紙⑭の剥離や裂け、襖などに描かれた作品の場合には、釘を使用せずに木を組む技術である組子にゆがみなどが生じると、本紙などの支持体や絵画層の劣化を引き起こします。

さらには、掛軸を強く巻き過ぎたり、表装に相応しくない素材（厚手の画仙紙や洋紙など）で無理に仕立てられたりした場合には、作品に無数の折れが生じ、放っておくと亀裂の原因ともなります。

支持体そのものに原因がある場合と、構造上生じる劣化や損傷があるため、症状に応じてそれぞれに適切な処置を行います。

⑭ 裏打ち紙
美濃紙など生成りの和紙が用いられることが多く、貼り付けには小麦粉デンプン糊を用います。

絵画層の劣化・損傷

絵具の媒剤である膠が劣化して接着力が低下すると、温・湿度などの環境変化により亀裂や浮き上がりといった症状が発生します。そのまま放っておけば、剝落する場合もあります。

生物（カビ・虫）による劣化・損傷

主にカビに起因するしみに加えて、紙を食べるシミ（紙魚）やシバンムシ、チャタラムシなどの害虫による損傷も少なからず見られます。

日本画作品の修復処置

それでは、日本画作品の汚染、劣化・損傷に対して、作品調査結果に基づいて施す、主な修復処置を紹介します。

修復処置① 剝離止め

日本画の絵具は前述した通り、鉱物の粉末でできています。そのため、日本画における亀裂や剝離部分は、絵具全体を膠や布海苔（布糊）⑮の水溶液によって強化し、支持体へ再接着させます。

修復処置② 肌裏紙の除去

日本画の主な装丁方法は、掛軸、巻子、屏風、襖など多岐にわたりますが、それらには数層からなる裏打ちが施されています。裏打ち紙には、掛軸などの巻き解きをスムー

⑮ 布海苔《ふのり》（布糊）
紅藻類フノリ科フノリ属の海藻を原料とする天然糊です。粘着力が弱いため、繊細な文化財の修復などに広く利用されます。布海苔自体は、食用としても用いられます。

ズにし、本紙を裏面から支えるという役割があります。したがって、本紙と第1層目の裏打ちである「肌裏紙《はだうらがみ》」や、本紙や裂《きれ》の厚みなどを調整する機能を持つ2層目の「増裏《ましうら》紙《がみ》」が部分的にでも剥離すると、巻き解きの際に本紙が擦れたりすることで作品を痛めてまいます。そこで、掛軸を解体して肌裏紙を新しいものに交換します。

裏面から噴霧器や刷毛によって水分を浸透させ、本紙と肌裏紙を接着している糊を緩め、古い肌裏紙を除去する方法を「湿式肌上げ法」といいます。また、部分的に少量の湿りを含ませて除去する方法を「乾式肌上げ法」と呼びます。前者の場合には、本紙に多量の水を含ませるため、料紙・絹が断片あるいは粉状化した場合には、水に流されて移動してしまう恐れがあります。作品の状態に応じて、適切な方法を使い分けることが肝要です。

また、本紙の表面全体を数層のレーヨン紙などで接着・被覆し、一旦乾燥させる「表打ち」を行ってから、湿式あるいは乾式によって肌裏紙を除去する場合もあります。

修復処置③　折れの補修

軸装作品に見られる折れは、その部分だけ本紙の繊維も弱っています。そのままでは、肌裏紙を交換しても再び折れが生じてしまいます。再発防止のためには、肌裏紙、または増裏紙の上から細い和紙を添え木のように接着する「折れ伏せ」を施して補強します。また、補修後は太巻き（掛軸を巻く際、軸木に被せる太い軸）の芯を利用し緩く巻くことで、ひびや折れから作品を守ります。

修復処置④　補紙

紙に描かれた絵画や歴史的資料といった文化財の中には、虫による食害などで本紙に欠損が見られる場合もあります。その場合、欠損部の形通りに材料を切った「補紙」をはめ込みます。補紙には保存上の強度のみならず柔軟性があり、鑑賞上の違和感がない「似寄りの紙（材質や風合いの近い紙）」を使用します。糊着後に本紙と補紙が重なった部分を削り、段差を滑らかにして全体の厚みが均一になるよう調整することもあります。なお、支持体が絹の場合には、同様の工程で補絹を行います。

修復処置⑤　洗い・しみ抜き

養生紙で作品を挟み、精製水やしみ抜き剤を塗布していきます。作品を傷めないよう

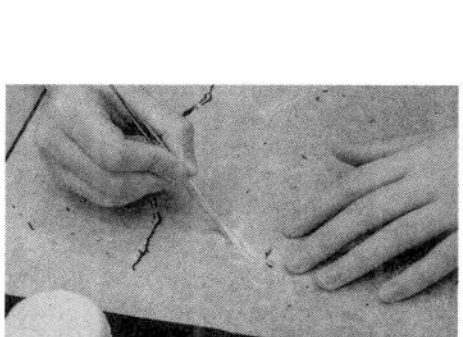

補紙作業の様子。虫害による欠損部分を、補紙で繕います。

に、溶剤の濃度は薄いものからはじめ、少しずつ濃くしていきます。また、水や溶剤を吸引しながら処置するサクション・テーブル⑯などで慎重に行います。

修復処置⑥　補彩

日本画に対する補彩は、基本的には行いません。ただし、支持体の欠損部分に代替材料を充填する場合には、その部分に対して事前に彩色を施す場合もあります。

また、補修、補紙を施した箇所と周囲の色調バランスをとるために、「地色補彩」を行う場合もあります。

修復処置⑦　表装

書画の鑑賞・保存のために布・紙などで縁どりや裏打ちなどを行って、掛軸や額、屏風、襖などに仕立てることを指します。

⑯ サクション・テーブル
細かい穴が多数開いている天板に、大型バキューム・クリーナーを接続して使用する吸引装置です。板上に敷き紙、作品、養生紙の順に重ねて、上から精製水や純水などをスプレーして、流れ出た汚染物質を水とともに吸引・除去します。

COLUMN 7

12年もの歳月をかけ修復された、高松塚古墳

　色鮮やかな通称〝飛鳥美人〟の《西壁女子群像》で名高い高松塚古墳は、1970年に奈良県高市郡明日香村の村人が、生姜貯蔵用の穴を掘っている時に偶然発見したものです。その後、奈良県立橿原考古学研究所の発掘調査によって、1972年に石室や副葬品、そして壁画が発見されました。

　石室の東壁、西壁、北壁（奥壁）、天井の4面には、切石に厚さ数ミリの漆喰が塗布され、そこに壁画が描かれています。その題材は男・女の人物群像と日・月、四方四神並びに星辰（星座）です。694〜710年の間に築造（2005年調査で確定）されて以来、壁画は温度10℃、湿度約100%の特殊な環境下にありました。そのため、空調設備を備えた保存施設が1976年に整備されました。

　しかし、2000年代に入って、カビの大量発生や石室ならびに漆喰層の劣化、保存作業中の事故による損傷が公となり監督官庁は激しい批判に晒されます。恒久的な保存措置が検討された結果、2006年に墳丘の発掘調査と石室の解体修理が開始され、2007年には古墳全体を覆う断熱覆屋が完成しています。

　その後の2020年3月に、12年以上にもおよぶ修復作業を終え、〝飛鳥美人〟が鮮やかに蘇りました。修復関連に要した費用は、石室の解体費などを除き、およそ27億3000万円と莫大な額でした。

高松塚古墳壁画
《西壁女子群像》７世紀末〜８世紀初め

掛軸の各部位名称

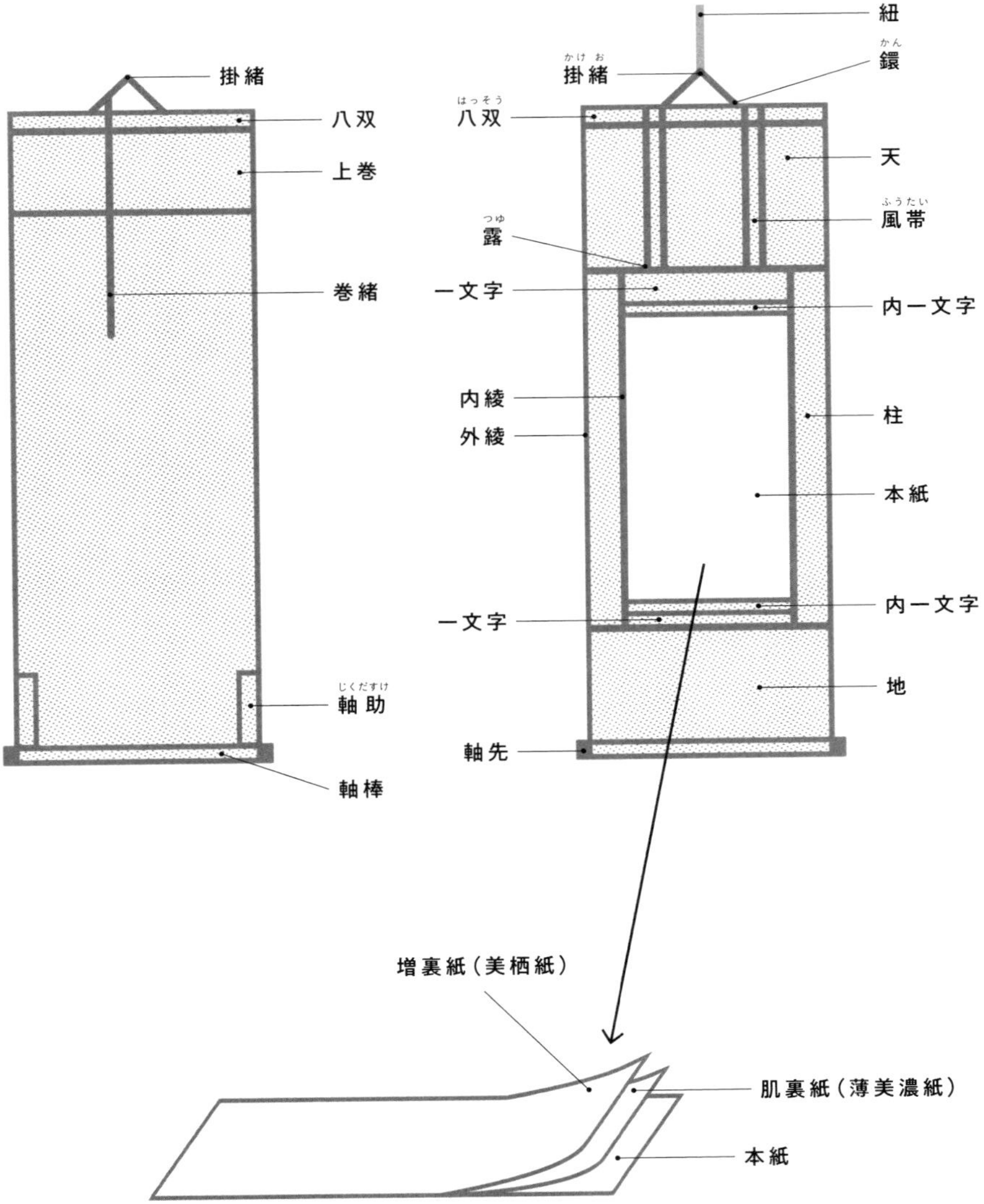
掛緒
八双
上巻
巻緒
軸助《じくだすけ》
軸棒
紐
鐶《かん》
掛緒《かけお》
八双《はっそう》
天
風帯《ふうたい》
露《つゆ》
一文字
内一文字
内綾
外綾
柱
本紙
内一文字
一文字
地
軸先
増裏紙（美栖紙）
肌裏紙（薄美濃紙）
本紙

掛軸の仕立て

①肌裏打ち：最初の裏打ち。薄く滑らかで耐久性のある薄美濃紙《うすみのし》を使い、正麩糊《しょうふのり》（小麦澱粉糊）で接着します。本紙と肌裏紙の接着には、接着力の強い作り立ての糊を使用します。加水すれば容易に溶解するため、修復時には安全に取り除くことが可能です。

②増裏打ち：表具に厚みと強度を持せるために行う２度目の裏打ち。胡粉を漉き込んだ美栖紙《みすがみ》を使い、冷暗所で10年程度寝かせた古糊で接着します。柔らかな紙と接着力の弱い糊は、何度も広げ、巻き上げられる掛軸において本紙を守るクッションの役目を果たします。

③仮張り：本紙や裂を湿らせてから、襖状のパネル表面に渋柿を塗布した仮張り板に張って乾燥させます。仮張り板は、乾燥する際の収縮作用を生かして本紙などを平滑に仕上げるための用具です。（❺総裏打ちの後に、全体を再度仮張りします。）

④切継ぎ：本紙や裂を裁断しながらつなぎ合わせます。最後に左右の耳を折り、両端小口を整えます。

⑤総裏打ち：上下に八双や軸を取り付ける袋を置き、上部より上巻絹、宇陀紙《うだがみ》で裏打ちを行います。

⑥仕上げ：イボタ蠟を掛軸裏面に引き、ガラス数珠でこすることで滑りを良くします。軸首を付けた軸木、上端部に八双を付け、最後に風帯、鐶、紐を付けて完成です。

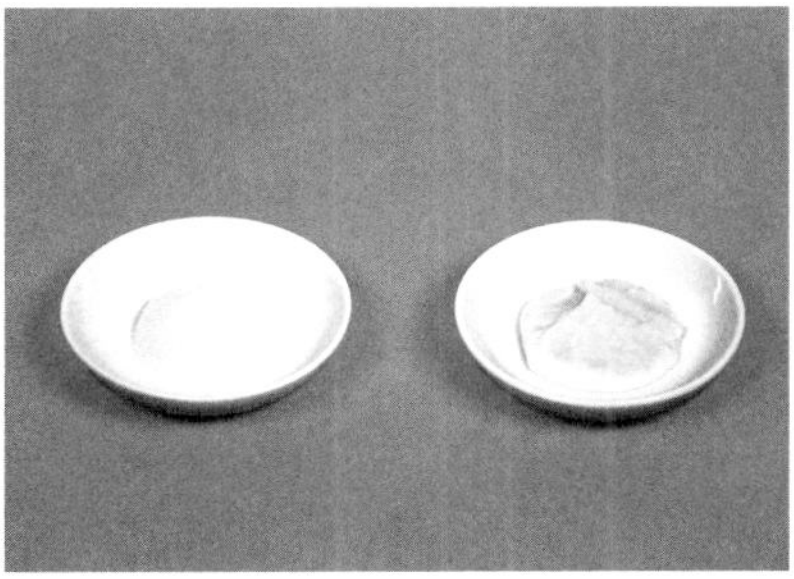

左：正麩（生麩）糊　右：古糊

左：薄美濃紙　右：美栖紙

〈前ページの用語解説〉

・薄美濃紙

美濃紙は、岐阜県の美濃で作られる手漉きの楮紙《こうぞし》で、福井県の越前紙、高知県の土佐紙と並び「日本三大和紙」の一つに数えられています。そのうち、記録印刷用あるいは明り障子用などとして、近世に多く流通した薄口のものを薄美濃紙と呼びます。また、「本美濃紙」の手漉き技術は島根県の石州半紙、埼玉県の細川紙とともに2014年ユネスコの無形文化遺産に登録されています。

・正麩（生麩）糊

小麦粉のデンプン粒子のうち、「生麩」と呼ばれる２～10ミクロンの小さな粒子で作った糊。より大きな粒子で作った「沈糊《じんのり》」に比べ粘度が低く、サラサラしている点が特徴です。

・美栖紙

楮《こうぞ》を原料とした奈良県吉野地方産の和紙で、その製法は宇陀紙と大差はありませんが、漉いた段階ですぐ干板に貼って天日乾燥するため、柔かさと糊の馴染みに優れており、表装の増裏用として不可欠です。

・宇陀紙

楮繊維に白土を漉き込んだ紙で、古くは奈良の宇陀郡の商人たちが売買していたことから、この名で呼ばれました。楮は山野に自生するクワ科の落葉低木で、繊維が長く繊維どうしが絡みやすいため、揉んでも破れない強靭さがあります。雁皮《がんぴ》、三椏《みつまた》とともに、古くから和紙の原料として用いられてきました。洋紙で使われている木材パルプが樹木の幹を砕いた繊維であるのに対し、和紙原料は皮部分の繊維を利用します。

・イボタ蠟

落葉低木イボタノキに寄生するカイガラムシが分泌する蠟を、精製したものです。高級なロウソクの原料になる他、桐箪笥の艶出し剤や、襖、障子といった建具の敷居の滑り剤および艶出し剤として用いられています。

CHAPTER FOUR

第4章

紙作品・資料の修復を知る

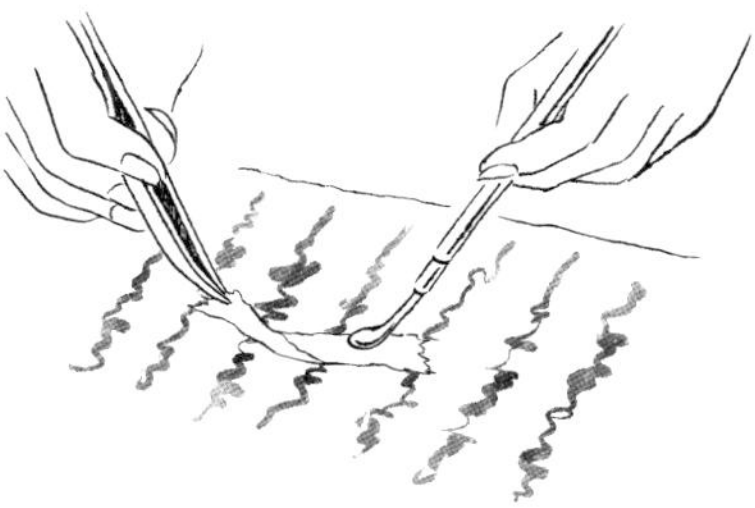

紙の起源と歴史

本章では、紙の上に表現されたさまざまな作品や、書籍や資料などに関する修復方法について説明します。そこで、まずは素材である紙の起源と歴史を、次いで「洋紙」と「和紙」に分けてそれぞれの特性を紹介していきたいと思います。

日本工業規格（ＪＩＳ）では、紙とは「植物繊維その他の繊維を膠着《こうちゃく》させて製造したもの。なお、広義には、素材として合成高分子物質を用いて製造した合成紙の他、繊維状無機材料を配合した紙も含む」と定義されており、その原料は植物性の天然繊維と人造繊維に大別することができます。

絹や羊毛といった動物性天然繊維を木材パルプに混ぜて使用することもありますが、単独で使われることはありません。また、後述する羊皮紙は、動物の皮を用いたもので、紙ではありません。したがって本書では、原則として植物性繊維から生成されたものを「紙」と呼んでいきます。

英語で紙を意味する「paper」の語源ともなっているパピルス（ギリシア語：πάπυρος、ラテン語／英語：papyrus）とは、ナイル川源流地域を原産地とするカヤツリグサ科の水草です。そこから転じて、この茎の内部組織から作られる古代エジプトの筆記用媒体名称として広く知られるようになりました。パピルスは紀元前４０００～３０００年頃から、エジプトを中心に10世紀に至るまで利用されていました。しかし、その製法の違いから、最近ではパピルスを狭義の「紙」に含めないケースが多く見受けられます。

１９８８年には、紀元前2世紀頃に造営された中国の古墳から、世界最古と思われる紙「放馬灘紙《ほうばたんし》」が発見されました。これは、麻を原料とした紙です。前漢の第5代文帝（在位紀元前１８０～紀元前１５７年）、あるいは第6代景帝（在位紀元前１５７～紀元前１４１年）時代のものと推測されています。放馬灘紙の発見以降は、長らく製紙法の発明者と考えられていた蔡倫①（50頃～１２１年頃）についても、従来の技術を集約・統合して紙の普及や実用化に貢献した人物として、その歴史的評価も見直されています。

製紙法はそれから約１０００年後の8世紀に、ようやく西アジアへ伝播します。そこからエジプトを経て、地中海沿岸地域へと広がっていきました。ヨーロッパへ伝わったのは、中国で紙が発明されてから、１４００年後の12世紀以降といわれています。

もっともその間、ヨーロッパでは、紀元前2世紀頃に発明された羊、山羊などの皮を用いた「パーチメント」、子牛皮による「ヴェラム」といった羊皮紙が使われていました。これは、動物の皮から不純物を取り除き、木枠に張り限界まで引き伸ばしてから、ナイフで薄く削り乾燥させたシート状の書写材料です。

① 蔡倫《さいりん》
後漢の宦官で、和帝（在位88～１０６年）の治世では中常侍（皇帝の取次役）にまで登り詰めた能吏です。

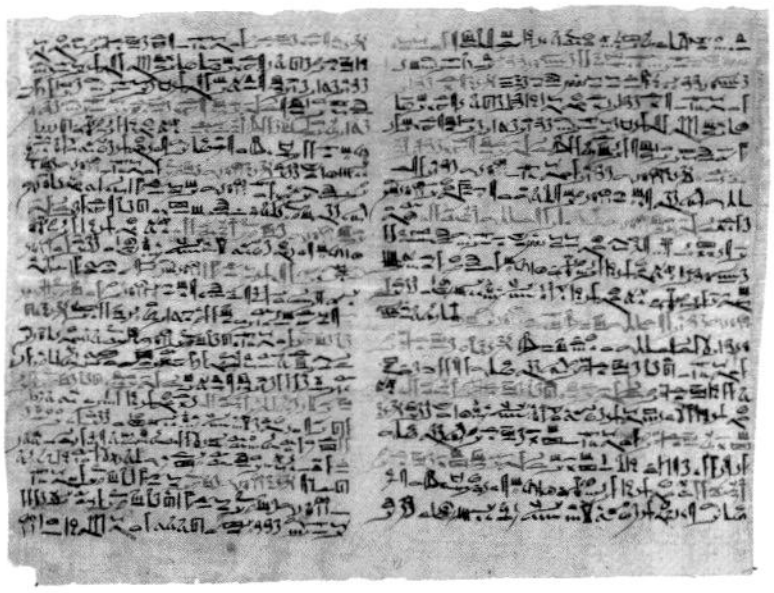

パピルス

エドウィン・スミス・パピルス（古代エジプトで記述された世界最初期の医学書）
紀元前17世紀頃、ニューヨーク医学会（アメリカ）蔵

装飾写本

『ケルズの書』（“世界で最も美しい本”と呼ばれる、羊皮紙に書かれた装飾写本）
８世紀、トリニティカレッジ（アイルランド）蔵

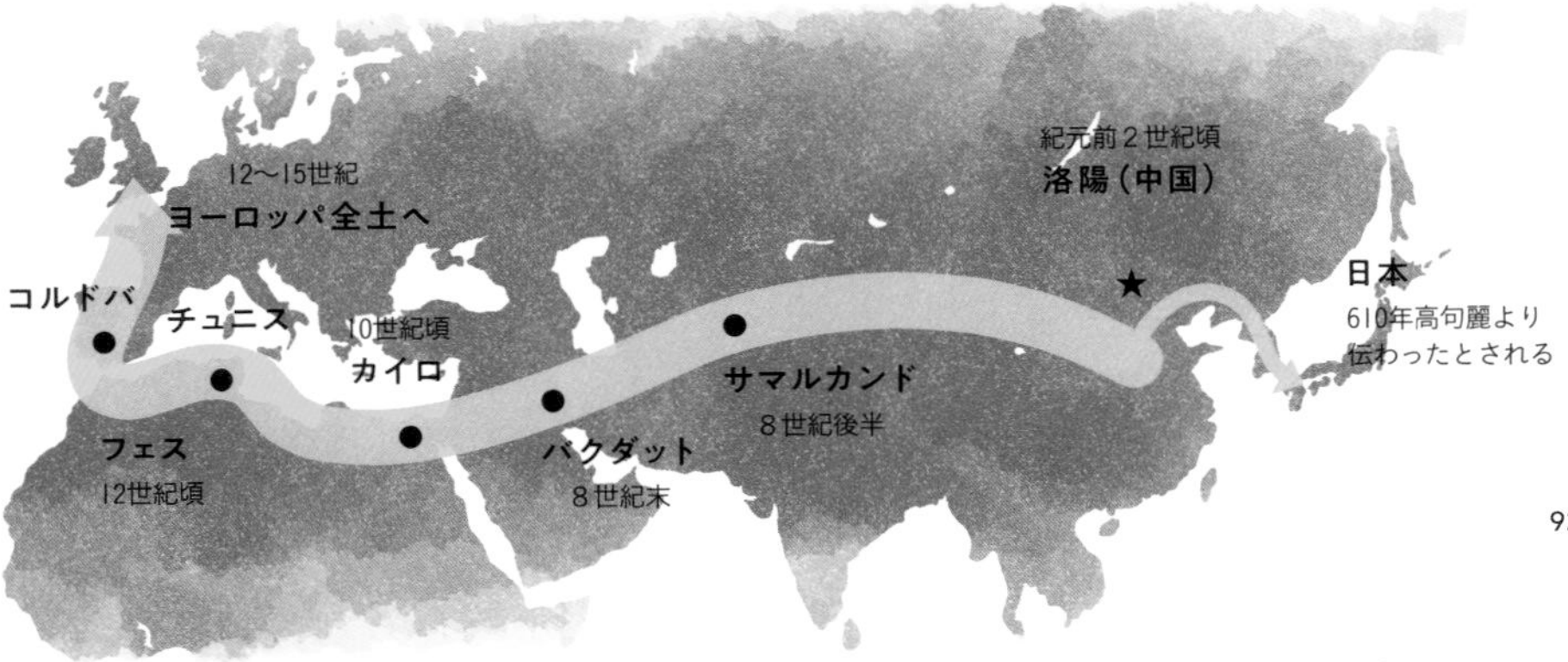

製紙技術の伝播

紀元前２世紀以降における製紙技術の伝播の経路を示しています。中国の洛陽を起点に、オアシスの道を西へ、サマルカンドやバクダッド、カイロ、フェスを経由し、ヨーロッパへも伝わったとされます。

日本には、高句麗の僧である曇徴《どんちょう》（生没年不詳）が、610年に紙を伝えたといわれてきました。しかし現在では、さまざまな遺跡発掘やそれらに付随する調査によって、それ以前から我が国で紙漉きが行われていた、あるいは伝播していた可能性があることがわかり、さらに詳しい研究が進められています。

製紙技術が日本に伝播された当初使われていた原料は、主に麻でした。しかし、その後、麻紙の抄造《しょうぞう》効率が悪かったことから、徐々に楮や雁皮などが用いられるようになります（楮や雁皮については88ページ、第3章「日本画作品の修復処置」を参照）。また、紙を漉く方法にもさまざまな改良が加えられ、日本独自の「和紙」として発展していくことになります。

一方、15世紀に入ると、製紙技術はヨーロッパ全土に広がります。1445年頃ドイツのヨハネス・グーテンベルク（Johannes Gensfleisch zur Laden zum Gutenberg, 1398頃〜1468年）によって活版印刷が発明され、それに伴い紙の需要も増大します。水で膨潤させたパルプなど原料の繊維を叩きほぐす叩解機②や、調製した紙料を水で薄めたものを抄《す》いていく抄造工程に用いる抄紙機③が生み出され、工程の機械化が徐々に促されていきます。ヨーロッパでも、はじめは麻のボロ衣料を主な原料にしていましたが、やがて紙の需要増大に伴い、手に入れやすい樹木を砕いて使用するようになっていきます。その後アメリカでは、オランダ人のウィリアム・リッティングハウスらによって1690年にフィラデルフィアに北米初の製紙工場が設立されます。アメリカ

② 叩解機《こうかいき》
水で膨潤させたパルプなどの原料の繊維を叩き、解きほぐす工程を叩解といいます。かつては、人力や水車を動力とした臼などによって行われていましたが、17世紀後半にオランダで叩解機が発明されました。

③ 抄紙機《しょうしき》
調成した紙料を水で薄め、それを抄いていく抄造工程に用いる機械です。繊維を抄く網（ワイヤー）の方式によって、コンベア状の長網抄紙機とシリンダ状の丸（円）網抄紙機に大別されます。前者は大量の紙を高速で製造するのに向き、後者は厚紙をはじめ多様な用途の製造に適しています。

独立戦争（１７７５～１７８３年）をきっかけに新聞が普及するようになると、アメリカでもヨーロッパ同様に、衣料を原料としていては生産が追いつかない状況になりました。19世紀に入ると、木材を粉砕したパルプが原料として用いられはじめ、均質な紙の大量生産が可能となりました。

現在では、全世界で年間およそ4億トン、日本では約２６００万トンの紙が生産されています＊ⓐ。また、省資源化や古紙のリサイクルを積極的に進めることで＊ⓑ、地球環境に配慮した紙作りが求められています＊ⓒ。

洋紙と和紙の違い

「洋紙」と「和紙」の違いは、主にその製造工程と素材にあります。

洋紙とは原料から「パルプ」を作り、均一に広げて固めたものです。その後は、表面に光沢を出したり、滑らかにしたりするなどの加工を施します。原料に用いるのは、広葉樹ではユーカリやアカシア、針葉樹では松や杉、檜などの幹（主軸、中心）部分です。それらを叩解機で細かく砕きチップにしたものを薬品で溶解した後、漂白して繊維の集塊である「化学パルプ」にします。そして、パルプを水で薄めたものを、抄紙機で抄い

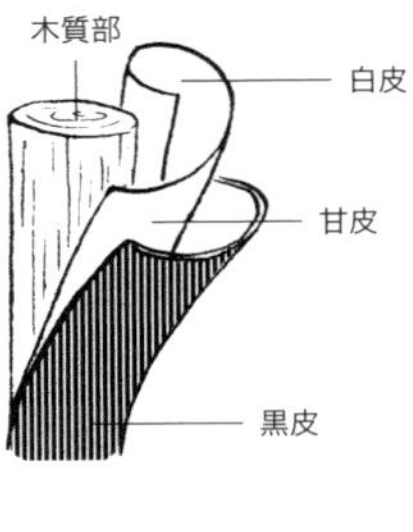

木皮の構造
黒皮：最も外側にある外樹皮。
甘皮：外樹皮と内側の木材の間にある内樹皮。
白皮：最も内側にある柔らかな内皮部分で、和紙の主な原材料となる。
木質部：皮を除去した幹の部分。

ていくのです。

一方、和紙には楮、雁皮、三椏などの表皮内側にある靭皮《じんぴ》繊維が使われています。靭皮繊維とは、植物の篩部《しぶ》（植物の維管束を形成する、篩管を中心とする部分）および皮層の繊維のことを指し、その強い抵抗性が特徴です。主に白皮と呼ばれる部分（前ページ下図参照）を用いますが、産地によって甘皮や黒皮を混ぜるところもあります。また、現在に至るまで、手による流し漉き④や溜め漉き⑤と呼ばれる製法を堅持している点も大きな特徴です。もちろん、機械を用いた和紙生産も行われています。

植物繊維⑥は広葉樹より針葉樹、針葉樹よりも楮や雁皮のほうが長い、あるいは同等であるため、それらをしっかりと絡み合わせた和紙は、丈夫で破れにくいという優れた特性を有しています。そして一枚一枚が、手作業ならではの微妙に異なった風合いや感触を醸し出しています。他方、大量生産によって低コストで均質な製造が可能な洋紙は、印刷物や種々の記録用紙といった用途に適しているといえます＊ⓓ。

④ 流し漉き
「簀桁《すげた》」で紙料液をすくい、縦横に動かしながら繊維を絡みあわせる方法です。簀桁とは、檜製の木枠である「桁」に、竹ひごを絹糸で編んだ「簀」を挟み合わせたものです。

⑤ 溜《た》め漉き
和紙の紙料液を簀桁の上に溜めて、水分が下に落ちるのを待って紙層を作っていく方法です。なお、溜め漉きはヨーロッパでも古くから行われているため、和紙独自の工程ではありません。

⑥ 植物繊維
植物繊維の長さは広葉樹が1・02ミリ、針葉樹は2.3ミリであるのに比して、和紙の材料となる雁皮は5.0ミリ、そして楮は7.3ミリ（いずれも平均値）となっています。

紙作品・資料の劣化と損傷

紙を用いた作品の修復は多岐にわたるため、素描（フランス語：dessin, デッサン、英語：drawing, ドローイング）や版画、ポスターなどの印刷物は「紙作品」、文書、古文書、地図、図面などは「紙資料」と呼んで区別しています。また、日本画や書籍、写真（紙焼き、インクジェット・プリント）は、修復の世界では紙作品・資料に含まず、それぞれ別に扱うことが一般的です。

本節では、紙作品・資料の劣化ならびに損傷について、その原因ごとに説明していきます。

光による劣化・損傷

太陽光線などに含まれる紫外線は強く、さまざまな物質を変色、脆化させます（19ページ、第1章「紫外線が作品に与える影響とその対策」参照）。もちろん、紙も例外ではありません。機械パルプ⑦に多く含まれるリグニンという成分は、多糖類（セルロースなど）とともに、植物の細胞壁を構成する主要成分であり、細胞どうしの接着や細胞

⑦ 機械パルプ
機械的にすり潰してパルプを製造する方法で、繊維は剛直で内部に大量のリグニンを含むため、紫外線によって退色しやすい紙になります。

膜強化といった機能を有しています。一方でこのリグニンは、紫外線によって退色しやすく、セルロースの酸加水分解で耐折性も低下するため、脆くなりやすい性質があります＊ⓔ。なお、光による化学変化は、照射後にたとえ冷暗所に移したとしても続くため、取り扱いには細心の注意が必要です。

最近の研究からアクリル・マーカー（染料インクを用いたマーカーで、無臭、無毒。速乾性、耐水性に優れている）は、光に対して敏感に反応し退色することが判明しています。UVカットのアクリル板やLED照明を用いたとしても、従来、展示期間として推奨されている「30日以内」よりさらに短縮したほうが良さそうです＊ⓕ。

紙作品・資料の劣化と損傷例

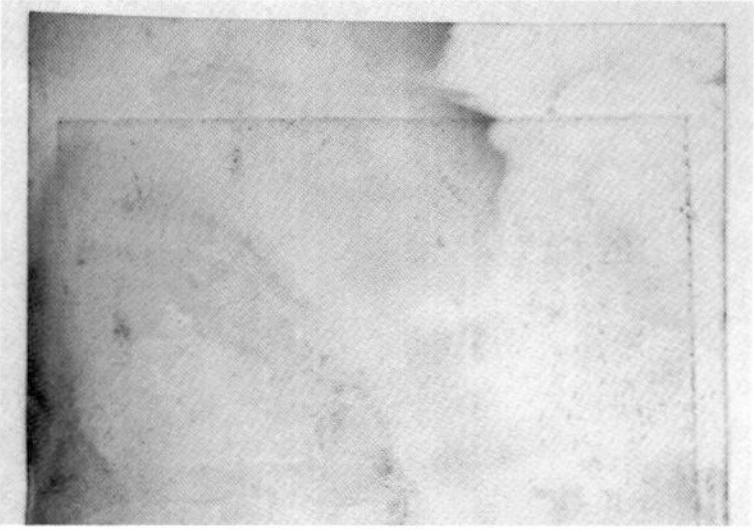

水害による損傷

作品が水に浸かり、変色、変形するとともに、部分的にカビが発生しています。

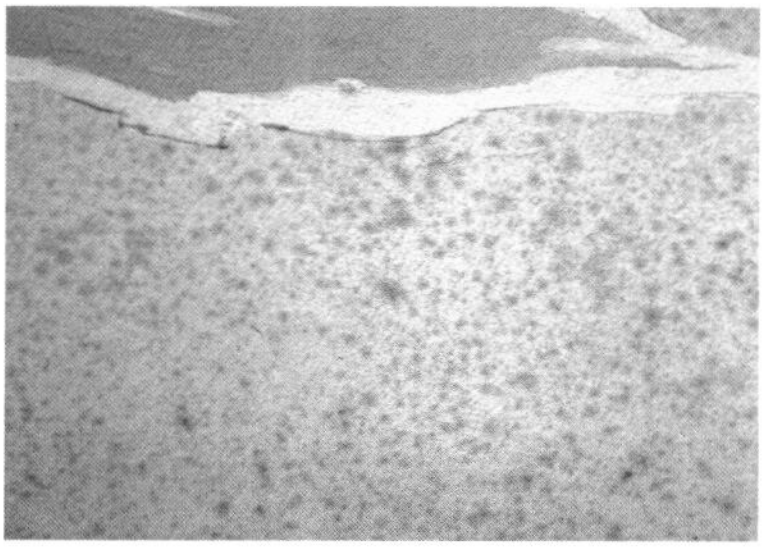

生物による損傷（フォクシング）

作品の表面に発生した茶色い斑点状の染みが、フォクシングです。不適切な保存環境によって発生したカビなどが原因といわれています。

酸による劣化・損傷

洋紙の製造過程では、水やインクのにじみを防ぐため薬剤を添加します。機械による大量生産に適しているのは、主に松ヤニから作られるロジン系サイズ剤⑧です。ロジンを繊維に定着させるため、同剤に含まれる硫酸アルミニウムは紙を内部から酸性にしてしまいます。そのため、紙の寿命は50~１００年間と短命です。ただし、アルキルケテンダイマー⑨などの中性サイズ剤を使用すれば、酸性紙と比べて4~6倍も長持ちするといわれています*⑨。

さらには一部の筆記具や額装材についても、使用上の注意が必要です。万年筆用古典インクの中でも、植物に含まれるタンニンに硫酸鉄などを加えた没食子インク⑩は、大気中の酸素と反応してまるで焼き付いたように紙へと定着します。同インクは耐水性と保存性に優れ、物理的に削り取らない限り消せないという耐改ざい性を備えていることから、欧米各国では長らく公式文書の記録に指定されてきました。しかし、焼き付くような化学反応は、同時に鉄分の酸化による劣化を意味しています。インク成分のバランスや保存・保管環境次第では、書写部分とその周辺が茶色に変化し、最終的には剝落してしまうことも少なくありません。こうした現象は「インク焼け」と呼ばれ、インクに含有された鉄分が酸化し切るまで続いていきます。

⑧ ロジン系サイズ剤
松ヤニを精製して得られる樹脂「ロジン」に、にじみ止め作用を持つ「酸性サイズ剤」を混合した薬剤で、抄紙工程で添加されます。

⑨ アルキルケテンダイマー
炭素と水素から成る、アルキル鎖の撥水効果を利用した中性サイズ剤です。

⑩ 没食子《もっしょくし》インク
ブナ科の植物の若芽が変形しこぶ化した没食子（インクタマバチの産卵に因る）や、ヌルデの稚芽や葉柄がこぶ状に肥大した五倍子（シロアブラムシに因る）から抽出したタンニンと、硫酸鉄水溶液を化学的に結合させた後、適度な粘性を付与するためアラビアゴムなどの添加物を加え生成されたインクです。

紙作品を額装する時には、中性紙の窓マットや台紙を使用することで劣化を防ぎます。その際、無酸で可塑剤を含まない、記録保管用品質の接着材をフィルムに塗布した、額装専用テープを用います。可塑剤とは、塩化ビニル樹脂を軟化させるために用いるエステル（酸とアルコールから合成された化合物）などを指します。セロハンテープのようにゴム系の粘着剤や可塑剤を含んだテープを使用した場合には、時間の経過とともに変色するだけでなく、接着成分が作品に付着し劣化を促す恐れがあります。

また、ちょっとした不注意から、書籍や資料にダメージを与えてしまうこともあります。ページの間に、栞代わりに新聞紙などの酸性紙を長期間挟んでおくと、酸が徐々に移行して変色や劣化を招きます。便利な付箋も長期間貼ったままであれば、粘着剤の経年劣化などにより剝がれにくくなり、結果的に書籍や資料を傷つけてしまいかねません。さらには、剝がした後も残存する粘着成分が、変色の原因になることもあります＊ⓗ。同様に、金属クリップも長期間放置すれば、腐食した茶褐色の錆び（主な成分は水和酸化鉄）が資料に移ってしまいます。

この他にも、排気ガスに含まれる窒素酸化物や、重油・軽油を燃焼させた時に生じる二酸化硫黄といった大気汚染物質は、水分と反応することで硫酸や亜硝酸を発生させます。したがって、書籍や資料などの保存・保管環境にも十分な配慮が必要となります。そもそも、パルプの主成分であるセルロース（多糖類、つまり炭水化物であり、植物細胞の細胞壁並びに植物繊維の主成分）は空気中の酸素と化合して酸化する性質を有しているため、酸性物質無添加の紙であっても酸化による微細な劣化現象は起こり得るのです。

生物による劣化・損傷

シバンムシやシミ、ゴキブリなどは、紙そのものだけでなく、そこに含まれる有機成分に対しても食害を及ぼします。また、ネズミなどの動物による被害も少なくありません。さらに、書籍や資料などによく見られる茶褐色の斑紋「フォクシング」の主たる原因は、カビや鉄イオンです（21～24ページ、第1章「生物が原因で起きること」参照）。適切な温・湿度を保ち、カビの養分となる埃などが溜まらないよう清潔な保存環境を心掛けましょう。

自然災害および人為的な劣化・損傷

物理的な損傷の要因は、自然的要因と人為的要因に大別されます。前者は地震や台風（33～35ページ、第1章「自然災害が原因で起きること」参照）、後者は輸送・運搬時の衝突や落下、不適切な保存環境に加えて火災も含まれます（35〜39ページ、第1章「人が原因で起きること」「他にもある〝人為的な損傷〟」参照）。

右記以外にも、コピーやスキャンをする際に、書籍のページを開いたまま強い負荷をかけることで損傷が発生することも少なくありません。さらには前述の酸性紙のみならず、コピー印字の文字部分の顔料転移にも注意が必要です。

また、古文書などの貴重な資料や文化財を取り扱う時には、手の脂が付着しないように、従来は白手袋着用が一般的でした。しかし、劣化・損傷部分に引っ掛けて傷を大きくしてしまう事故を防ぐため、最近では清潔に保った素手で扱うこともままあります。もちろん、その際には石鹸などで、事前によく手を洗っておくことが肝要です。

世界一高価な本

世界で最も高価な芸術作品は、2017年11月15日にニューヨークのクリスティーズで落札されたレオナルド・ダ・ヴィンチの《サルバトール・ムンディ（世界の救世主）》です（2022年4月現在）。その価格は4億5031万2500ドルで、日本円にしておよそ508億円でした。この桁外れな作品を購入したのは、サウジアラビア王国のムハンマド・ビン・サルマン皇太子といわれています。当時は新型コロナウイルス感染拡大による移動制限もなく、強大なオイル・マネーがアート市場で猛威を奮っていました。

では、世界で最も高価な書籍とは、一体いかなるものでしょうか？　長らく1位の座にあったのは、ダ・ヴィンチによる手書きの『レスター手稿』（1505、1504～8年）でした。天文学や化石の性質、天体の発光などについて書かれた36枚・72ページの手稿です。その中には、**プレートテクトニクス理論**が認知される450年以上も前に、山地が海底の隆起によって形成されるという自説も含まれていました。まさに、〝万能の天才〟の面目躍如たるところです。同稿は1994年11月11日ニューヨークで行われたクリスティーズのオークションにおいて、マイクロソフト創業者ビル・ゲイツ（William Henry "Bill" Gates III, 1955年～）により3080万2500ドル（約31億4000万円）で落札されています。

そのダ・ヴィンチを抜いて史上最高価格（2022年4月現在）となったのは、末日聖徒イエス・キリスト教会（俗称：モルモン教）創設者であるジョセフ・スミス（Joseph Smith, Jr., 1805～1844年）が1830年に出版した『モルモン書』です。同書は2017年、3500万ドル（約36億7000万円）で、同教会により購入されています。

レオナルド・ダ・ヴィンチ『レスター手稿』
1505、1504～8年、紙にインク

他にも17億円以上で取り引きされた『聖カスバートの福音書』をはじめ、高額本に占める聖書の割合は高く、本章第1節に登場した活版印刷の父・グーテンベルクによる『グーテンベルク聖書』（1455年頃）は、1978年に240万ドル（約4億6800万円）を付けた〝史上初の100万ドル超本〟として知られています。世界初の印刷聖書は180冊ほど製本されましたが、49冊しか現存していません。そのうち、完璧な状態のものは21冊に限られ、1987年にはオークションで日本の大手書店がおよそ7・8億円で落札。現在は、慶應義塾大学図書館が所蔵しています。

最後に映画ファンにとってはたまらない話題を一つ、ご紹介しましょう。『ハリー・ポッターと死の秘宝』（小説：2007年、映画：2010／2011年）に登場する『吟遊詩人ビードルの物語』は、著者であるJ．K．ローリング（J.K. Rowling, 1965年〜）自身の手書き文字とイラストにより7冊のみ制作されています。6冊は友人や担当編集者に贈られ、最後の1冊をチャリティー・オークションにかけたところ、195万ポンド（約4億5000万円）でアマゾン・ドット・コムが落札したそうです（2007年）。

プレートテクトニクス理論： 地球表面を構成するプレート（岩盤）が動くことにより、大陸移動や海底隆起などが引き起こされるとする学説です。

※文中の日本円価格は、落札、購入当時の外国為替レートで換算・表記しています。

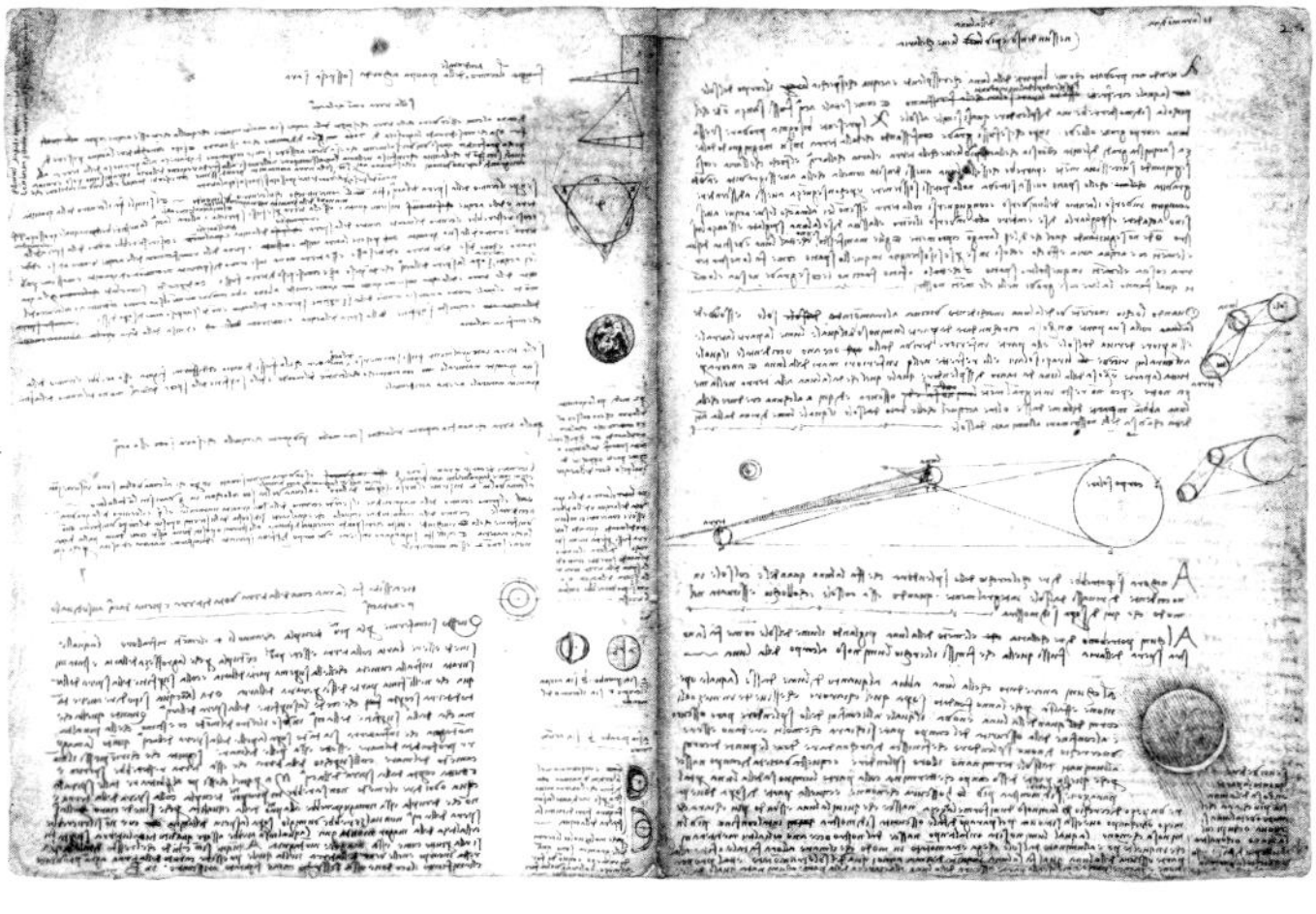

紙作品・資料の修復処置

本節では、紙作品や資料の修復について、いくつかの事例を紹介していきます。

修復を行う前には、支持体である紙の状態についてよく調査しておきましょう。前節で述べたように、洋紙は酸性のサイズ剤によって繊維質を破壊され、徐々に脆くなっていきます。こうした症状は、「スローファイヤー」と呼ばれています。紙の酸性劣化を取り扱った記録映画に、『スローファイヤー：蝕まれゆく人類の知的遺産』（紀伊國屋書店、１９９５年）があります。興味があれば、ぜひご覧になることをおすすめします。

また、仙花紙⑪による雑誌や、機械パルプで抄造した紙を用いたひと昔前の文庫本、あるいは新聞紙は、経年で茶色く変化するため、紙の酸性化については一目で判断できます。色が白くても酸性化しているケースや、他の原因により変色する場合もありますので、処置前の調査ではさまざまな可能性について注意深く探っていきます。

目視で判別しづらい場合には、ｐＨ試験紙やデジタルｐＨ測定器によって調査します。試験部位、あるいは試験紙を少量の純水または精製水で湿らせ、対象に試験紙を接触させて反応を待ちます。付属のチャート表と見比べ、赤（酸性）、緑（中性）、青（アルカリ性）のいずれに変化するかで判定します。数値をチェックする場合には、「７」が中性です。それよりも大きい値はアルカリ性であり、小さければ酸性です。

⑪ 仙花紙《せんかし》
終戦直後に出回ったくず紙、古紙などを抄き直した粗悪な洋紙、再生紙を指します。当時相次いで発行されたエロ（性や性風俗）グロ（猟奇犯罪など）を扱った低級娯楽誌は、原料である紙のカス（物価統制令の対象外である仙花紙）から由来して「カストリ雑誌」と呼ばれました。一方、同音異字の泉貨紙は、古くから愛媛県と高知県で生産されている、楮を原料とする丈夫で良質な和紙のことを指します。

また、カビや不純物の転移などは、紫外線を照射することによって肉眼では見逃しがちな状態を把握することが可能です。

pH調査

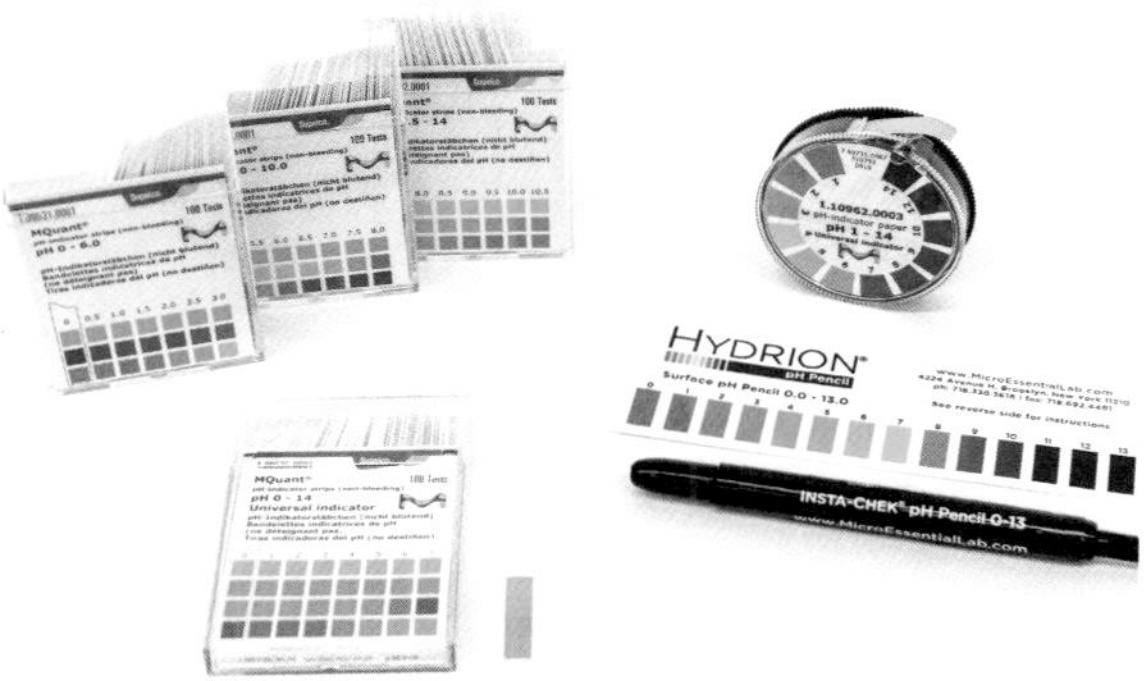

pH調査に使用するもの

pH試験紙はスティックタイプとロールタイプがあります。また、サンプル量が少ない場合などは、pHペンシルを使用することもあります。

pHの測定方法（pH試験紙の場合）

① pH試験紙に水をつけ、測定したい箇所に置きます。
② 1分程度待ち、pH試験紙の反応結果とカラーチャートの色を見比べ、数値を測定します。

step 1　カビや虫害に対する処置

カビや虫の糞などは、刷毛やクロス、HEPAフィルター⑫搭載掃除機などで吸着除去を行います。固着の激しい部分は、メスや専用の高性能スチームクリーナを用いて除去していきます。

なお、カビが付着していた部分には、消毒用エタノールを濃度70~80%に薄めたものを綿棒に含ませ拭き取ります。

step 2　ドライ・クリーニング

刷毛やスポンジ、消しゴムなどによって、作品表面に付着した埃や汚れを取り除くドライ・クリーニングを行います。

step 3　接着剤の残滓や粘着テープの除去

接着剤成分や粘着テープが残っている場合には、紙中に転移・浸透する恐れがあるた

⑫ HEPAフィルター
High Efficiency Particulate Air Filterの略で、空気中から塵埃などを取り除く高性能エア・フィルタの一種です。日本工業規格（JIS）では、「定格風量で粒径が0.3μmの粒子に対して99.97%以上の粒子捕集率を有しており、かつ初期圧力損失が245Pa以下の性能を持つエアフィルター」と定められています。

め、無水エタノールや有機溶剤などで完全に除去しておきます。

接着剤の残滓や古いテープなどは無理に剝がさず、プリザベーション・ペンシルなどで加湿しながら丹念に取り除きます。プリザベーション・ペンシルは、支持体と接するペンシル部分と、超音波により微細な蒸気を発生させる加湿器部分から成るものです。蒸気は、常温から100℃まで温度調整が可能です。

step 4 水性処置

水溶性の汚れや劣化により生じた生成物を除去することに加え、製造時に生成された不純物や酸性物質を洗い流すことで、支持体である紙の体質改善・向上を図るために、水性処置を行います。

まずは、弱アルカリ性に調整した洗浄液に浸したり、スプレーで噴霧して濡らしたりすることで、紙に付着している汚れや、経年により内部で生成された着色汚れを除去し、可溶性の酸を洗い出します（洗浄）。

次いで、純水やRO水などに、水酸化カルシウムなどの脱酸性剤を溶かした薬液に浸します（脱酸性化処置）。水酸化カルシウムは強アルカリ物質であるため、酸性物質を中和させます。しばらくすると、液中に酸性・汚染物質が溶け出してきます。

紙作品・資料の修復工程例

修復前の版画作品　《習作》上野東声

①修復前の作品状態調査

作品の状態、サイズ、損傷などを調査・記録します。修復前の状態を撮影しておきます。

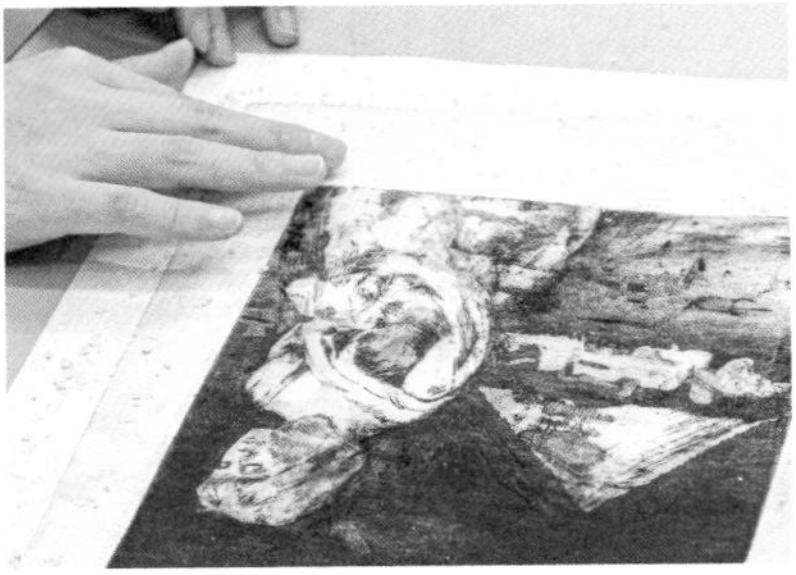

②ドライ・クリーニング

紙の表面に付着した埃、汚れなどを、刷毛や粉消しゴムなどで除去します。

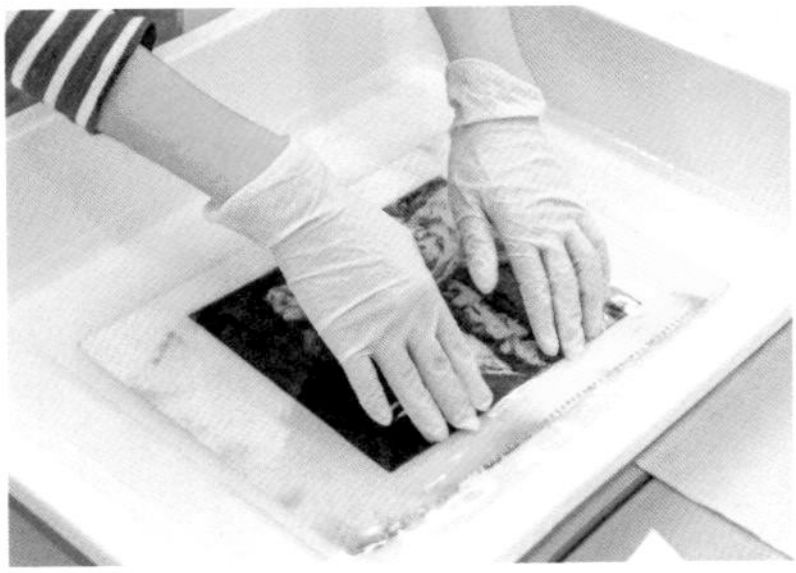

③水性処置〈洗浄〉

水溶性の劣化要因（酸性物質や変色を引き起こす物質）を減少・除去するために、水を張ったバットに作品を浸けます。

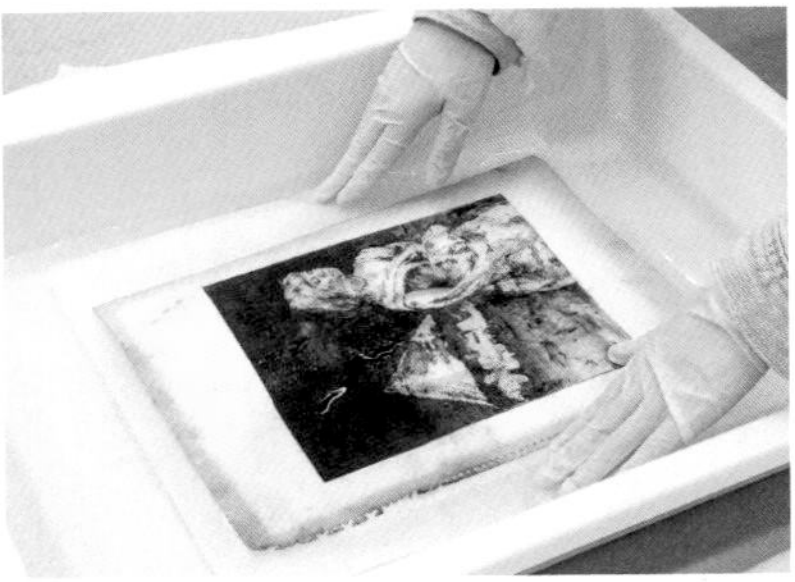

④水性処置〈脱酸性化処置〉

アルカリ性の水溶液に作品を浸漬させることで、紙の内部に生じた酸を中和し、アルカリ物質を紙に留め、今後起こり得る紙の酸性化を遅らせます。

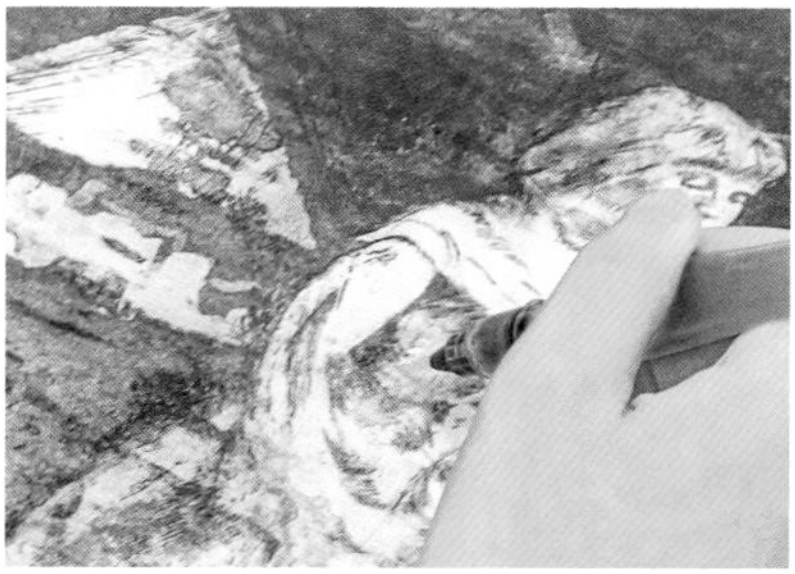

⑤水性処置〈漂白〉

過酸化水素水に作品を浸漬させ、作品全体の漂白を行います。染みの目立つ箇所は、さらに部分漂白をします。

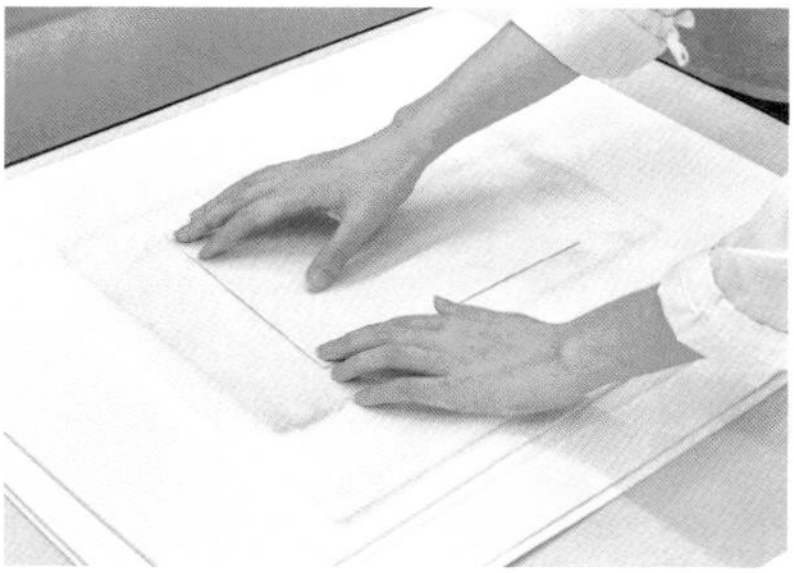

⑥フラットニング

作品の波打ちを修正するため、作品を湿らせた後、吸い取り紙を挟んでプレスします。

⑦補紙

破れの断面を正麩糊で接着し、補強のため裏面に和紙を貼ります。

⑧マッティング

作品保護のため、中性紙マットをカットして作品を挟みます。

修復後の版画作品

柿岡朝希（横浜美術大学・修復保存コース２期生）作成の版画作品修復報告書を参考にし、一部引用しています。

脱水後は、変形しないよう、吸い取り紙の間に挟んでプレスしながら乾かします。なお、波打ったりゆがみが生じたりした作品や資料を、水やエタノールを使用して平らに戻すことを「フラットニング」と呼んでいます。

このように薬液に浸ける以外にも、非水性脱酸処置の一種で、不活性液体に酸化マグネシウム微粒子を分散させた溶剤を噴射する「ブックキーパー法」を施す場合もあります。いずれも、作品の状態に合わせて適切な方法で行います。こうした処置によって紙のpHは、処置前の酸性域から弱アルカリ域へと向上していきます。

また、インク焼けについても、洗浄、脱酸の順に処置を行っていきます。さらに、フィチン酸⑬でインクの酸化を抑制し、ゼラチン⑭などのタンパク質によって紙の強度を補います。

step 5　補紙と裏打ち

虫などによる食害や没食子インクによる剝落といった損傷に対しては、和紙による「補紙」や作品・資料補強のため「裏打ち」といった処置を施します。

支持体の破れなどの破損については、当該箇所をつなぎ合わせ接着して裏面から和紙で補強します。欠損した部分には、紙の色や厚みなどを考慮し慎重に選んだ材料を形通

⑬ フィチン酸
穀類や種子に多く含まれる、リンの主要な貯蔵形態です。キレート（金属原子との結合）作用が強く、高いミネラル類保持能力という特質を持っています。その強力な抗酸化作用から、近年ではガン予防に関する研究が進んでいます。

⑭ ゼラチン
タンパク質やその変性産物であるゼラチンは、紙に含まれる酸化促進成分である遷移金属イオンと結び付きやすいため、抗酸化剤として古くから用いられています。

りに切った「補修紙」をはめ込んでいきます。こうした作業を、「補紙」または「繕《つくろ》い」と呼びます。

一方、支持体の損傷が著しい場合、裏面全体に和紙を貼り補強します。この処置は「裏打ち」といいます。

和紙による修復は、洋紙作品や資料に対しても有効です。20世紀初頭には、すでに書籍などの優れた修復材として欧米でも和紙の使用記録が残っています。

リーフキャスティング

step 5の「補紙」とは別に、紙作品や資料の破損部を補強するための手法があります。紙漉きの原理を応用した「リーフキャスティング（漉嵌《すきばめ》）」は、紙繊維を水に攪拌・分散させた懸濁液《けんだくえき》（微細粒子が分散した液体）を欠損部に流し込むことで充填し、補紙を形成する方法です。

糊や化学薬品を使用することなく、繊維間の水素結合によって接着することに加え、専用機材の利用でスピーディーに修復することが可能なため、大量の劣化・損傷資料が発生した際に利用されるケースが多い手法です。

「漉《す》く」と「抄《す》く」の違い

1975年にスタートした漢字能力検定は、最盛期の2008年には約290万人が受験しました。スマホの普及で漢字を実際に手書きする機会が減ったとはいえ、いまも毎年200万人前後の人々が挑戦しています。同音異義語や類義語の多様性こそ、日本語の難しさであり、また面白さでもあるからでしょう。

さて、本章をここまで読んでこられて、紙を〝すく〟に「漉く」と「抄く」という異なった字が充てられていたことに気づかれたでしょうか。「漉」が持つ言意は、〝水などをこす〟です。一方、「抄」には、〝写す〟や〝すくう〟、そして〝掠《かす》め取る〟という意味があります。

紙をすくとは、溶かした紙料（植物繊維と接着成分）を簀子《すのこ》の上に薄く伸ばして紙を作ることを意味します。また、パルプを原料とした機械による製紙工程の一部も含みます。一般的に人の手により、一枚一枚ていねいにすき上げる場合には「漉く」を使用します。いわゆる「手漉き和紙」が、これにあたります。一方、工場などの大規模施設で機械生産される場合には「抄く」を充てます。水を加え調成したパルプなどを抄造する機械を、「抄紙機」（本章93ページ参照）と呼んでいるのもそのためです。

日本では、1874年に旧広島藩主であった浅野侯爵家が設立した有恒社（後に王子製紙が吸収）が、輸入抄紙機を用いて日本初の洋紙生産を行いました。

手漉き作業風景

CHAPTER FIVE

第5章 立体作品の修復を知る

立体作品の技法と材料

本章では、神像・仏像などの文化財から現代アート作品までを含む、立体作品の劣化・損傷に対する修復方法について説明していきます。

一般的に、硬質な素材を彫り刻む技法を用いて作られた立体作品を「彫刻」と呼びます。一方、粘土のような可塑性素材を用いて形作ることを「彫塑《ちょうそ》」、同技法で制作された作品を「塑像《そぞう》」とし、彫刻と区別して呼ぶ場合もあります。

古代より神（神像や仏像など）や人間、動物などをモチーフにしていた彫刻ですが、近代に入ると感情やリズムなど、可視化できないものを表した抽象的作品が散見されるようになります。また、素材や表現も多様化し、従来の概念に収まらないケースも増えていきました。そこで、それらを「立体作品／表現」と総称し、さらに、空間全体を作品成立の条件とするような表現については、特に「インスタレーション」と呼んで区別しています。しかし、こうした名称に厳密な定義や境界線はありません。

立体作品には洋の東西を問わず、古くから大理石や花崗岩《かこうがん》といった石材や多種多様な木材が利用されてきました。また、銅や、銅に錫《すず》を加えたブロンズ（青銅）なども材料として広く認知されています。ちなみに、金属製の作品や仏像・仏具などは、鋳金《ちゅうきん》（鋳《ちゅう》造《ぞう》）、彫金《ちょうきん》、鍛金《たんきん》といった技法により制作されています（本章119～120ページ参照）。これ以外にも、布などの繊維や石膏、ガラス、漆などの天然樹脂、繊維強化プラスチック（FRP樹脂①）に代表されるような合成樹脂に至るまで、あらゆる素材が用いられています。

最も身近な立体作品である仏像

私たち日本人にとって最も身近な立体作品であり、文化財といえるのが、仏教における仏像でしょう。日本では、三論宗、法相《ほっそう》宗、華厳宗、律宗、倶舎《くしゃ》宗、成実《じょうじつ》宗、天台宗、真言宗、融通念仏宗、浄土宗、臨済宗、曹洞宗、浄土真宗、日蓮宗、時宗、普化《ふけ》宗、黄《おう》檗《ばく》宗、修験《しゅげん》宗から成る18の宗派「十八宗」が広く知られています。

信仰の対象である仏像は、各宗派ごとに異なる様式を持っています。悟りを開いた釈迦の姿を表した「如来」、現世利益の福徳を授ける「菩薩」、さらには大日如来の化身として憤怒の相を備えた「明王」や、仏敵を退ける守護神である「天部」に大別されます。その他にも自然の霊威を体現した神仏、あるいは祖師（宗派の開祖）や高僧の像も数多く見られます。

① FRP樹脂
Fiber Reinforced Plasticsの略。プラスチック（石油を原料とする合成樹脂）と各種繊維を組み合わせた、軽量で高い強度を備えた複合材料です。

立体作品並びに造仏技法

仏像に代表される日本の伝統的彫刻および塑像の制作は、以下４つの方法に大別できます。

木造

一本の木材から彫り出した、継ぎ目のない像を「一木造《いちぼくづくり》」と称します。これには、頭部と胴部が一木から成り、腕や膝などは別の材で造ったものも含まれます。

一方「寄木造《よせぎづくり》」は、複数のパーツを矧《は》ぎ合わせて制作する技法です。平安時代に入ると、造寺に励むことで徳を積めるという思想が盛んになり、仏像の需要が増加しました。それに伴い、複数の仏師による効率的な分業が可能な点、小木を集めて巨像を造り出せる点、さらに木の狂い②が少ないという優位性から、寄木造は隆盛を極めていきます。

塑造《そぞう》

②―木の狂い
水分を多く含む木材が乾燥の過程で割れたり、反ったり、縮んだりする現象をいいます。木は繊維、接線、年輪の3方向により収縮率が異なるため、こうした〝狂い〟が生じます。

「塑造」とは、木材の芯に荒縄などを巻き付け骨組みとし、その上から粘土などの可塑性素材で形成していく方法です。日本には、奈良時代に唐から伝わりました。法隆寺中門の金剛力士立像や東大寺戒壇院の四天王立像（ともに奈良県）など、塑像の作例は奈良時代に集中しています。

鋳造《ちゅうぞう》

「鋳造」とは、主に鉄やアルミ、銅、真鍮などの金属を融点よりも高い温度で熱して液体化し、型に流し込むことで目的の形状に固める加工方法を指します。

蜜蠟などで制作した原型を鋳物土で覆い、熱することで蠟を溶かし出します。こうしてできた中空部に溶かした金属を流し込み、型を壊して仕上げる方法を「蠟型鋳造」と

各造仏例

十一面観音菩薩坐像

勢至菩薩立像

阿弥陀如来立像

本ページで紹介した仏像はすべて木造であり、寄木造で作られたものです。

呼びます。

大仏など巨大な仏像の建立には、「惣型《そうがた》削り中子《なかご》鋳造」が適しています。原型から型取りした後に、原型の表面を金属の厚み分だけ削り取って中子③とします。その後、中子（雄型《おがた》）と雌型《めがた》の間に金属を流し込む方法です＊ⓐ。

また、原型から分割した雌型に中子を納めて鋳型を組み立て、焼き締めた後に溶銅を流し込む「込め型（割込め）鋳造」は、原型を残せる点が大きな特徴です＊ⓑ。

乾漆造《かんしつづくり》

麻布や和紙を漆で貼り重ねたり、漆と木粉を練り合わせたものを盛り上げたりして形成する漆工技法の一種です。

「脱活《だっかつ》乾漆造」は、最初に木製の芯棒に粘土を肉付けして像の大体の概形を作ります。その上に麻布を麦漆④で貼り重ねていきます。こうしてできた張り子に、抹香漆⑤や木屎漆⑥を盛り上げ細かな部分を形作ります＊ⓒ。最後に、背面などを切り開いて像内の塑土を掻き出し中空化します。

一方「木心《もくしん》乾漆造」は、木彫の上に麻布を貼り木屎漆などで細部まで仕上げるため、像内に木心が残っている状態です。

③ 中子
鋳物の中空部を作るために、生型《なまがた》と別に使われる鋳型です。鋳物の内面を作ることから、生型の中に置かれます。なお、生型とは珪砂《けいさ》や粘土に水を加えた型を指します。雌（凹）型に対し、中子は雄（凸）型と呼ばれています。

④ 麦漆《むぎうるし》
生漆に小麦粉を混ぜた接着剤。破損した陶磁器の金継ぎなどにも用います。

⑤ 抹香漆《まっこううるし》
樒《しきみ》（マツブサ科シキミ属の

その他素材による立体作品の技法

金属作品の制作技法としては、鋳造以外に、さまざまな種類の鏨《たがね》（のみ）で彫り、切削造形する「彫金」や、金属の塑性（力を加えられた時に変形し、力を取り除いた後ももとの形状に戻らずに、変形したままの状態を保つ性質）を利用し、金や木槌で叩いて形作る「鍛金」（鍛治）などがあります。

また、薄く平らに形成した「板金《ばんきん》」を用いて、切断したり曲げたり溶接を施して作品を制作することもあります。

石彫は、のみと金槌で石を彫った後に、研磨して仕上げます（作品によっては、研磨しない場合もあります）。近年では、超硬合金を利用した道具類や機械工具の併用により、多様な表現創出と作業時間短縮の両立を可能にしています。

現代アート展などで見かける巨大フィギュアのような立体作品は、そのほとんどがFRP樹脂でできています。その制作は、最初に造形用金網などを使って概形を作ることからはじめます。その上に、FRP樹脂に硬化剤を混ぜたものを用いて、ガラスクロス（ガラス繊維の織布）を重ね貼りしていきます。乾燥硬化後はサンドペーパーなどで表面を研磨して、仕上げにアクリル絵具などで着彩します。同時に複数作品を制作する際には、型に樹脂を流し込んで制作する場合もあります。

常緑樹）の葉や皮を乾燥させ粉末にした抹香を、麦漆と混ぜたもの。

⑥ 木屎漆《こくそうるし》
檜の挽き粉や繊維くずなどを漆に混ぜたもの。「刻苧漆」とも書きます。

彫金、鍛金、鋳金（鋳造）制作風景

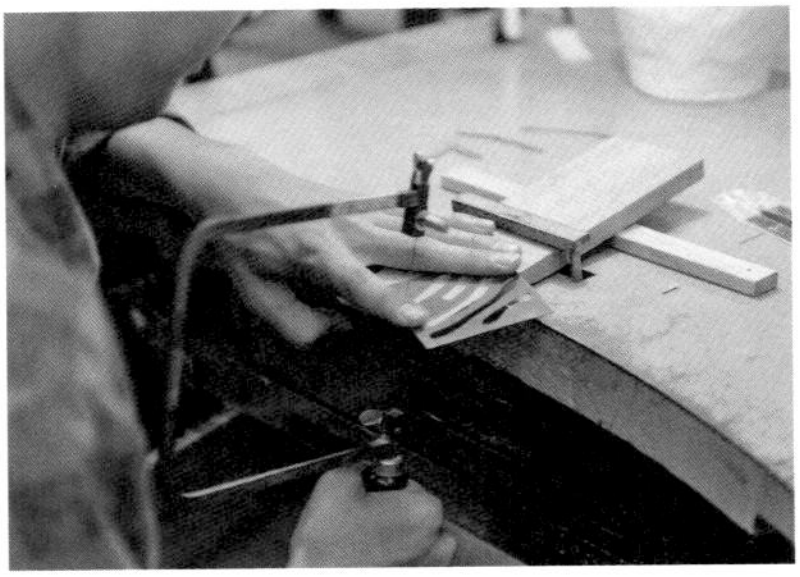

彫金作業Ⅰ
糸鋸を使用して、金属板を切り出しています。

彫金作業Ⅱ
鏨を使って、金属板の毛彫作業を行っています。

鍛金作業
金槌と当て金を使い、銅板を絞っています。

鋳金（鋳造）作業
型に溶かした金属を流し込んでいます。

写真提供：横浜美術大 クラフトコース

木製作品や文化財の劣化と損傷

本節では、木彫作品や仏像に代表される文化財の劣化・損傷について説明していきます。

表層部の劣化・損傷

表層部の損傷として最も多く見られるのは、漆を塗った上に金箔を押した漆箔《しっぱく》や、岩絵具などの彩色部分の亀裂、剥離・剥落です。こうした症状は時に、漆塗や下地にまで及びます。その原因は、下地や下張りの接着剤が弱いことに加え、表層部と素地部の収縮率が異なる点にあります。特に彩色の場合には、膠が劣化し接着力が落ちることで、その表面から粉状に風化・磨滅することが少なからずあります。また、金属化合物を原料とする岩絵具は、紫外線や空気中の硫化ガスによって変質します。一方で、植物由来の染料は光に弱く、退色しやすいといえるでしょう。さらには、長い年月、像の表面に堆積した塵や埃、あるいは線香の煙や香を焚《た》いた時に発生する香煙《こうえん》などの煙煤が定・固着することで、金箔や彩色の発色を妨げるケースも往々にして見受けられます。

像の基部や接合部における劣化・損傷

前項で述べた通り、木材は中心部と円周方向で収縮率が異なるため、芯を含んだ太い材は、木芯から放射状に大小の干割《ひわれ》（乾燥によるひびや割れ目）が生じます。また、木目が平行に通っておらず、山型や不規則な波型をしている「板目」⑦の材は、外周方向に反り返りやすい性質を持っています。

矧ぎ目（接合部分）は、経年によって漆や膠などの接着力が弱まり、緩んだり遊離したりしやすくなります。さらには、鉄製の釘や鎹《かすがい》は、錆びて木質を侵している場合が少なくありません。放っておけば、像の重要部分が欠失しかねず注意が必要です。

害虫・害獣による食害

ケブカシバンムシやオオナガシバンムシなど、シバンムシ科に属する昆虫の幼虫による、木材への食害に対しては特に注意が必要です。群飛期のシロアリや、木くずを排出するヒラタキクイムシは、その存在や痕跡を発見しやすいのですが、シバンムシ科に属する昆虫の幼虫は大変小さく見つけにくいため、気づいたときには甚大な被害を及ぼしているケースが散見されます（25ページ、第1章「害虫・害獣が作品に与える影響とそ

⑦ 板目《いため》
丸木（切り出しままの木材）を切ったときに現れる模様を「木目（木理）」といいます。丸木の中心からずらして切った際に現れる木目が「板目」、中心を切り出した際に現れる木目が「柾目《まさめ》」です。柾目は木目が平行に通っています。

の対策」参照）。

　こうした害虫たちは、作品表面に無数の虫穴を開けるのみならず、トンネル状に内部を食い荒らします。虫蝕が進めば像は空洞化し、害虫の糞や木くずで一杯になっている場合すらあります＊ⓓ。また、表面の彫刻面が失われれば、木材腐朽菌⑧による腐食でスポンジ状となり、さらに脆く劣化していきます＊ⓔ。

　加えて、仏前の「五供《ごくう》」や神前の「新饌《しんせん》」といったお供え物には、害獣・害虫を誘引する食品も含まれています。そのため像や仏具、神具を齧ったり糞尿で汚したりする、ネズミやゴキブリなどの発生・被害にも気をつけなければなりません。

⑧ 木材腐朽菌
木材の主成分であるセルロース、ヘミセルロース、リグニンを分解する菌で、繁殖して木材を腐らせ、その強度を著しく低下させます。主に広葉樹を繊維状に分解する白色腐朽菌と、主に針葉樹を粉状に腐植する褐色腐朽菌の2種類があります。

木造仏劣化・損傷例

亡失
仏像の両手が失われています。

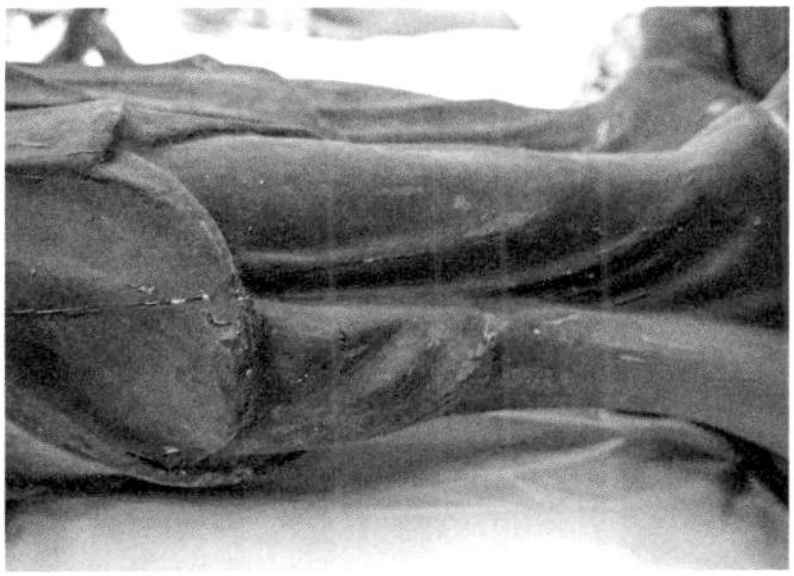

剥落
彩色層の一部が剥がれ下地層が露呈しています。

埃
仏像全体に埃が積もっています。

その他素材による立体作品の劣化と損傷

屋外彫刻の劣化・損傷

ブロンズ彫刻など金属作品は屋外に置かれることが多いため、紫外線や鳥類の糞尿などに加え、近年、大気汚染や酸性雨による腐食が大きな問題になりつつあります。一方、自然の岩壁や露岩、あるいは転石に造立された摩崖仏などの石仏は、保全対策を施さなければ風雨による浸食を受け劣化が進んでいきます。

さらに、地震や台風といった自然災害は、像本体のみならず台座との結合部分にも損傷を与えるため、倒壊などの二次災害に対する備えも必要です。また、公共の場所に設置された作品は、落書きなど人為的ダメージの危険にも晒されています。

FRP作品の劣化・損傷

合成樹脂であるＦＲＰは、代表的な軽金属のアルミニウムより軽いにもかかわらず、比強度（強度重量比）や曲げ剛性（部材の曲げや、変形しにくさを示す指標）に関しては鉄よりも優れています。ただし、紫外線には変色・劣化しやすいため、添加剤を加える、像の表面をコーティングするなどの対策が必要です。また、高温や多湿はＦＲＰの分解を促進させるため、作品の設置および保存場所の環境についても十分な注意が必要です。

木製作品や文化財の修復処置

これまで述べてきたように、文化財や美術作品の状態は個々に異なるため、本章で紹介する修復技法はその一例です。事前調査に基づき、慎重な処置を施すことが肝要です。

step 1　クリーニング

塵や埃は筆や刷毛などで慎重に払いつつ、掃除機で吸い取ります。また、錆びやカビに対しては、薬剤（植物性またはアルコール系溶剤など）を用いて除去していきます。なお、仏像や神像における蠟燭やお香から発生する煤《すす》の定・固着については、信仰の対

仏像のクリーニング

象であるという性格上、あえてクリーニングを徹底しない場合もあります。

step 2　漆箔の剝離・剝落止め

浮き上がった漆箔と下地の間に膠や水溶性アクリル樹脂を塗布し、上から押さえることで固定します。また、劣化の状態によっては、筆や注射器で樹脂剤を下地に充填することにより硬化を促します。

step 3　干割補正

乾燥によるひびや、割れ目である干割を補正します。割れが大きい場合には、接着剤、木屎漆、薄板を挿入して塞ぎます。

step 4　接合部の修復

錆びた釘や鎹は木質を腐蝕させるので取り除き、接続面の古い膠はぬるま湯で拭き取ります。その後は、新たに麦漆などで接着し直し、防錆加工を施した釘などで補強していきます。開いたままの釘穴は、檜材、木屎漆、エポキシ樹脂⑨などで埋めます。

⑨　エポキシ樹脂
分子内にエポキシ基を有する化合物の総称。元々歯科材料として、1930年代に開発されました。硬化速度が調整しやすい点や優れた耐久性から、接着剤や塗料など幅広い用途に使用されています。

step 5　虫蝕朽損などの穴塞

朽損部に低濃度の樹脂を塗布・含侵させ、木質を硬化させることもあります。虫穴には高濃度の樹脂や膠、砥の粉、そしてマイクロバルーン（ウレタンの超微粒子）などを混ぜたものを、注射器やセロファン・コーン（絞り袋・器）で充填して穴を塞ぎます。なお、虫蝕を発見した際には殺虫に加えカビ対策として、修復作業前に燻蒸（24ページ、第1章「カビが作品に与える影響とその対策」参照）を行うケースもあります。

step 6　補作と古色加工

欠失部分は必要に応じて、靭性（粘り強さ）および耐水・湿性に優れた檜材で新しく補作します。その際には後世の再修復に備えて、新補部分を着脱可能なように接合します。また、最後に周囲と合わせて古色（古く見える加工）を付けます＊ⓕ。

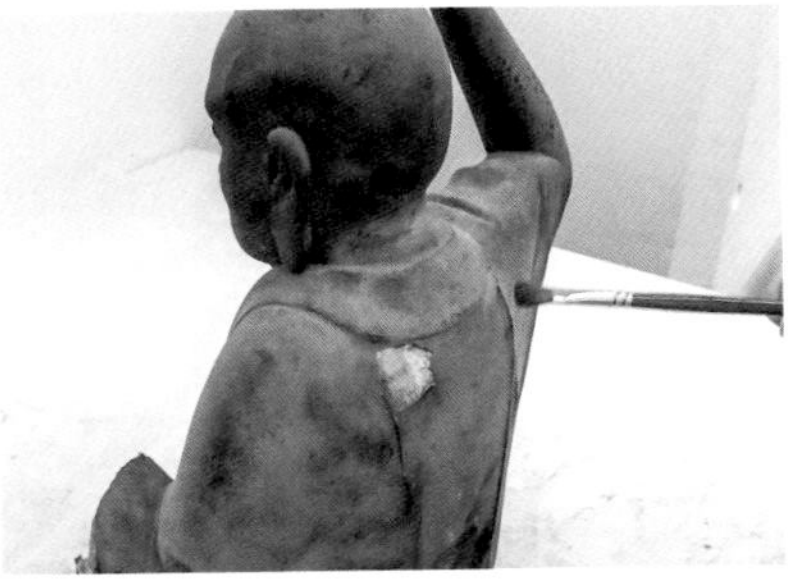

①クリーニング〈汚れを除去する〉
仏像全体に付着した埃を筆などで払い、精製水を含ませた綿棒で汚れを除去します。

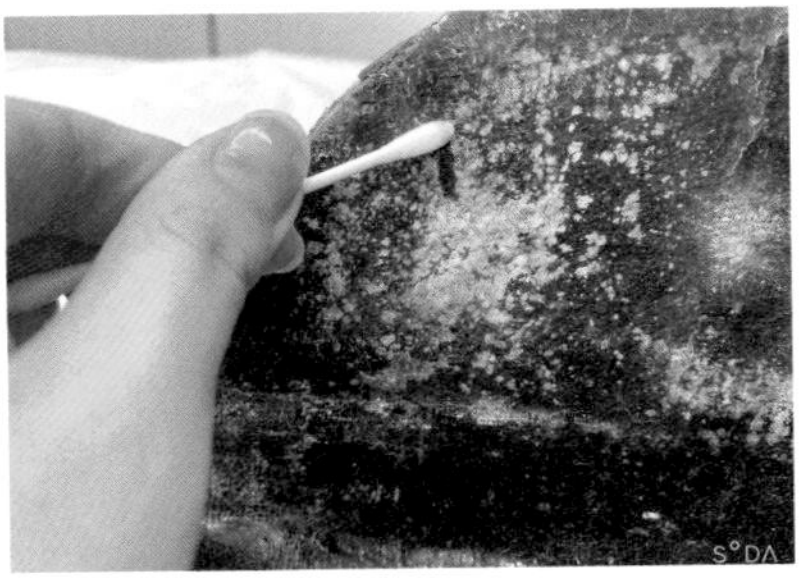

②クリーニング〈カビ止め〉
表面に付着したカビをエタノール水などで殺菌し、除去します。

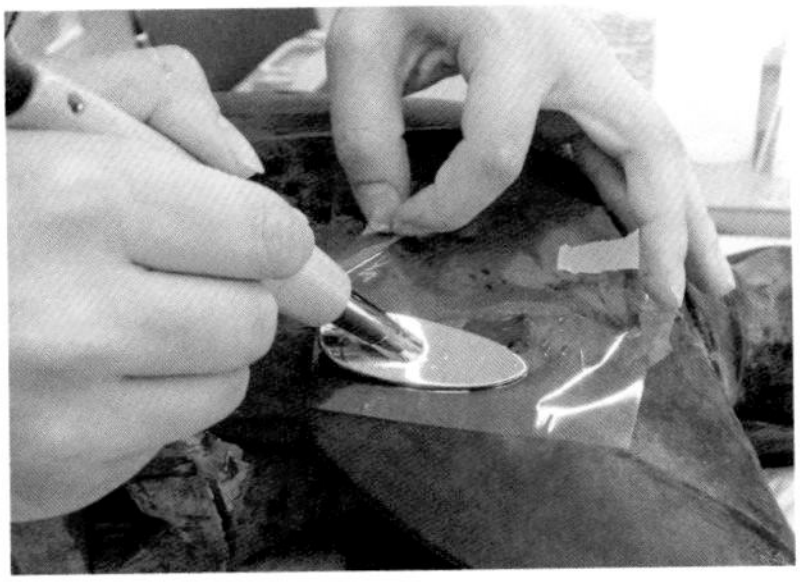

③漆箔の剝離・剝落止め
剝がれている塗膜の隙間に膠を入れ、電気コテで圧着して接着します。

修復前の半諾迦尊者像

④補作〈塑造試作〉

亡失した部分の補作を行います。まずは粘土を用いて試作を行います。

⑤補作

❹の塑像試作を基に、檜で制作します。

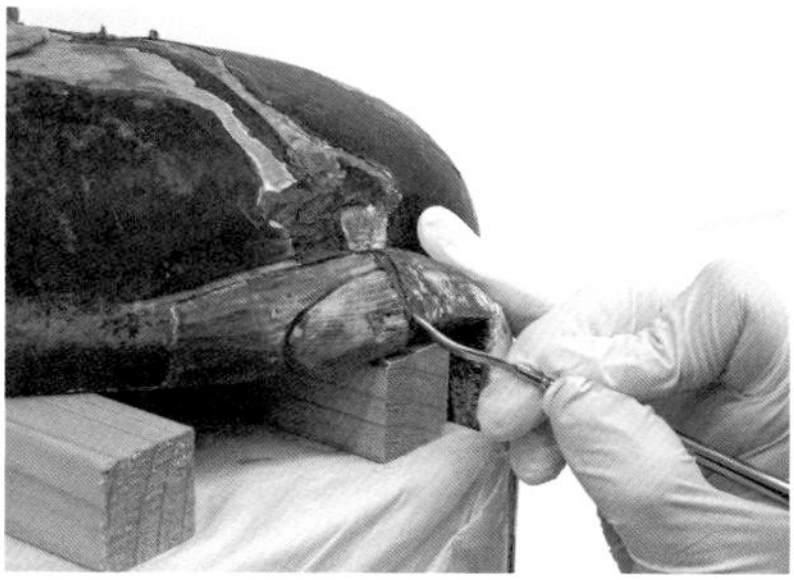

⑥接合部の修復と隙間充填

部材の隙間は麦漆に、木粉を混ぜた木屎漆で埋めていきます。その後、剥落箇所と補作箇所に錆漆を塗布し、下地を作ります。

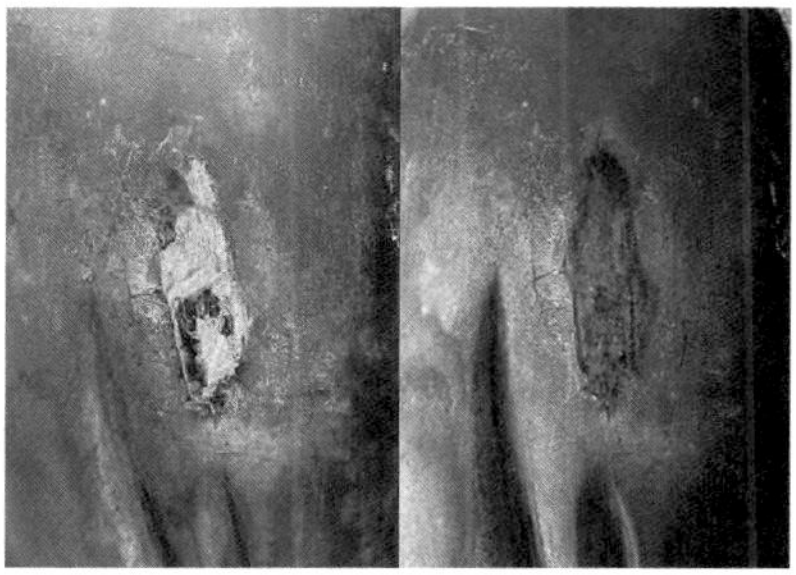

⑦古色加工

下地を施した箇所に古色を付けます。（左）古色前、（右）古色後。

修復後の半諾迦尊者像

川村綾音（横浜美術大学・修復保存コース４期生）卒業制作修復報告書を参考にし、一部引用しています。

その他素材による立体作品の修復処置

金属作品や文化財の修復

金属作品も木造作品と同様に、まずは刷毛で払ったり、エアーブロワーで浮かせたりした塵や埃を掃除機で吸引し、クリーニングします。その後、純水、または界面活性剤を加えた溶液を用いブラシや綿棒で洗浄していきます。破損箇所は膠や漆といった接着材で補修しますが、損傷状態などによってアクリルあるいはエキポシ樹脂も使用します。また、露仏のように、屋外に設置された文化財や金属作品については、水洗の後、水では除去不能な鳥の糞などに対しては、エタノールを用います。また、硬化したチューインガムについては、メスによる物理的除去と、酢酸エチルやアセトンといった薬剤を併用して対処します。なお、薬剤を使用する場合には、蛍光X線分析装置により化学組成を調査した上で慎重に行います。

屋外設置の銅や青銅製作品における、塩化物イオン起因の緑や青色の腐食（通称ブロンズ病）の対策には、界面活性剤を加えた溶液で洗浄した後に、防錆処置としてワックスを焼き付けます。変色が著しい箇所には、油絵具や薬品で着色を施すこともあります。なお、大きな割れや折損などに対する溶接や大規模補作といった修復は、専門工房に作品を運び込んで手当てしなければなりません＊ⓖ。

石彫作品や文化財の修復

水洗などのクリーニング後に、破断片やひび割れをエキポシ樹脂で接着し、空隙部には同樹脂を注入します。経年や風雨の浸食で層理⑩が剥離している箇所については、樹脂剤の含侵や充填により硬化を促し、併せて補強材（用途に応じて金属やコンクリートなど）を用いることで劣化の進行を防ぎます＊ⓗ。

⑩ 層理
堆積岩が時代の経過とともに重なった、単層の重層面を指します。

ＦＲＰ作品の修復

ひび割れ、折損箇所をテープなどで固定し、ＦＲＰ樹脂に硬化剤を混ぜたもので接着します。穴が開いている箇所には、樹脂剤を充填します。その上からガラスクロス（グラスファイバー）を貼り、乾燥後に補彩を施します。なお、大きな欠損の場合は新たに補作します。ＦＲＰ自体が近年の素材なので修復法も確立しておらず、制作者が故人というケースが少ないため、作家と話し合いながら修復方針を決めるのが良いでしょう。

COLUMN 10

きれいにしたら、価値がなくなる？

2011年11月、ドルトムント（ドイツ）のオストヴァル美術館では、**マルティン・キッペンベルガー**（Martin Kippenberger, 1953〜1997年）によるインスタレーション作品《When It Starts Dripping From the Ceiling（天井から、それが滴り始めた時）》（1990年）が展示中でした。

木の板を組み合わせた造形物の下には黒いゴム製容器が置かれており、器の中にはまるで乾いた水溜りのような薄茶色の模様が描かれていました。ところが清掃員は、容器内の絵具を拭き取り新品同様に磨き上げてしまったのです。制作したアーティストは10年以上も前に亡くなっており、残念ながらもとの状態への回復や、有効な修復は不可能な状況でした。

個人コレクターから借り受け展示していた作品の保険評価額は、69万ポンド（約8600万円）でした。ちょっとした勘違いが、取り返しのつかない損害を生み出してしまいました。なお、美術館側は清掃員に対し、展示作品に20センチ以上近づかないよう厳命していたそうです。

その後、作品がどうなったのか、非常に気になるところです。

マルティン・キッペンベルガー：1970年代後半から1990年代にかけてポストモダンを先導し、戦後ドイツで最も影響力が大きいアーティストの一人といわれています。1972年にハンブルク造形美術大学のファイン・アート科に入学後、すぐに中退。パンク・ミュージック・クラブ「SO36」の経営や、自身のバンド「Grugas」を結成し音楽活動を行うとともに、さまざまなメディアや表現手法を駆使した作品を精力的に制作しました。主な個展にテート・モダン（ロンドン、2006年）、K21ノルトライン・ヴェストファーレン州立美術館（デュッセルドルフ、2009年）やニューヨーク近代美術館（2009年）などが挙げられます。

マルティン・キッペンベルガー《When It Starts Dripping From the Ceiling（天井から、それが滴り始めた時）》、1990年、混合技法
写真：picture alliance/アフロ

CHAPTER SIX

第6章 タイムベースド・メディア作品の修復を知る

タイムベースド・メディア作品とは

タイムベースド・メディアとは、ビデオ、スライド、フィルム、音声、コンピュータに依拠した、時間経過、時間軸を伴う作品のことを指します＊ⓐ。言い換えれば、さまざまな方式によって各種媒体に記録された動画、静止画、サウンドおよび、それらの混成によって表現された美術作品といえるでしょう。

1960年代以降、従来のフィルムに加え、一つの電子情報を一台の再生機を通して、プロジェクターやモニターなどのディスプレイ装置で上映する「シングル・チャネル」にはじまり、その後はマルチ・チャネルや、映像インスタレーションに至るまで、いわゆる「ビデオ・アート」と呼ばれる多種多様なタイムベースド・メディアを使用した美術作品（以下、タイムベースド・メディア作品）が制作されてきました＊ⓑ。それらの中には、記録方式や記憶媒体に関する技術の発達や仕様の変更、あるいは再生機器の生産終了などに伴い、すでにその保存に支障が生じているものが少なからず存在しています。

そこで本章では、ますます多様化するタイムベースド・メディア作品の保管・保存や修復方法に加え、新しい技術を利用した今後の展望についても説明していきます。先に述べた状況に対して、現在では種々の管理システムが生み出されています。

一例を挙げれば、２００９年には標準化されたフォーマットに基づくデジタル・データを一元管理し、検索利便性も備えたデジタル管理システム「Archivematica」がアメリカで開発されています。あるいは、大容量で耐久性に優れた磁気テープ・ストレージであるＬＴＯ（Linear Tape-Open）へのデータ格納・保存も、ＺＫＭ①など一部の機関ではすでに実践されています。

また、アメリカのスミソニアン博物館やイギリスのテート・モダンなどでは、Ｗｅｂベースの管理ソフトウェアである「The Museum System（ＴＭＳ）」を、美術作品の修復・保存に関する情報管理に利用しているようです。さらにニューヨーク近代美術館（ＭｏＭＡ）は、前出「Archivematica」を基にタイムベースト・メディア作品管理に特化した「Binder」を独自開発し、２０１５年にそのβ版を公開しています＊©。

他方、我が国の現状は、国立国際美術館や京都市立芸術大学芸術資源研究センターなど一部の施設を除き、欧米に比べて大きく立ち遅れていると言わざるを得ません。

表現方法のみならず記録媒体も含め、ますます多種・多様化するタイムベースド・メディア作品の適切な保存環境の構築に加え、市場流通性の促進や、少額課金による閲覧サービスの積極的活用のためには、既存のアーカイブ規格や保存方法だけでは、もはや限界を迎えつつあることだけは明らかです。

① ＺＫＭ
Zentrum fur Kunst und Medientechnologie Karlsruhe／カールスルーエ・アート・アンド・メディア・テクノロジー・センター。１９９７年に南西ドイツのカールスルーエ市に設立された、メディア・アートに関する広範な研究並びに展示に特化した総合的な施設です。

フィルム作品・資料の修復と保存

本節では、写真や映画に代表されるフィルム作品の劣化・損傷と、その修復・保存について説明していきます。まずは、写真ならびに映画の歴史を紐解くことからはじめましょう。

写真の歴史

16世紀頃には、戸外の風景を平面に投影する「カメラ・オブスクラ」を用い、その中に投影された〝像〟をトレースして描く絵画が登場しはじめました。この装置は、被写体の各点で乱反射した光線のうち、空間のピンホール一点を通る光線だけを平面に投射することによって、射影された像を得るものです。これを使用すれば正しい遠近感が得られるため、従来に比べ、リアリズムに富んだ作品が生み出されていくことになります。

19世紀に入ると、カメラ・オブスクラが生み出す（投影）像と感光剤を組み合わせ、定着させる写真技術が発明されます。

1825年頃にフランス人発明家、ジョゼフ・ニセフォール・ニエプス（Joseph Nicephore Niepce, 1765～1833年）により撮影された《Un cheval et son conducteur（馬引く男）》は、原版が存在する最古の写真といわれています。1839年には、銀メッキを施した銅板上にヨウ化銀を塗布し、感光性を持たせ水銀蒸気で現像する「ダゲレオタイプ」がフランス学士院で発表されます。その直後には「カロタイプ」（タルボタイプとも呼ばれる）も登場します。これは、硝酸銀を塗り感光性を付与した紙ネガを、カメラ（カメラ・オブスクラ）の中に入れて撮影する技法です。史上初のネガ（陰画）～ポジ（陽画）法であり、複製可能という点でダゲレオタイプよりも優っていました。

さらに、産業革命が生んだ中産階級の肖像写真に対する需要増加に伴い、1850年代に湿式コロジオン法②が、そして1871年にはゼラチン乾板が発明されました。ゼラチン乾板は感光材料の一種で、写真乳剤をガラス板に塗布したものです。携帯性や保存性に優れ、工場での大量生産が可能なことから、写真の普及拡大に寄与しました。

そして、ジョージ・イーストマン（George Eastman, 1854～1932年）が創業した米国のイーストマン・コダック社は、1885年に感光剤を紙に塗布したロール・フィルムを開発します。現像した写真と新しいフィルム装填済みのカメラが、10ドルで返送される同社のサービスは、一般大衆への写真普及に多大な貢献を果たしました。加えて、1889年にはセルロースを使用した透明写真フィルムを開発することで、同

② 湿式コロジオン法
光化学反応の迅速化のため、薬品類を硝化綿からなるコロジオンを基剤とし、ガラス板に塗布、感光板として用います。ガラス板が湿っている間に撮影、硫酸第一鉄溶液で現像し、シアン化カリウム溶液で定着させる方法です。

社は写真および映画フィルムにおける巨大な寡占市場の礎を築いたのです。

事実を写し取る、あるいはさまざまな事物を画布上に再現してきた絵画の役割は、写真の登場により取って代わられました。以降の絵画は、その軸足を哲学的アプローチや精神性に基づく芸術表現の発露へと移していきます。

一方で写真は、報道・記録としての機能・用途のみならず、芸術表現上の重要な技法、メディウムとしても発展していくことになります＊ⓓ。

１９３５年、前出のイーストマン・コダック社は世界初の映画用カラーフィルム「コダクローム」を発表し、翌１９３６年には写真用カラーフィルムの発売をはじめました。その後、１９８０年代にはデジタルカメラが登場し、２０１０年代以降は、スマートフォンによる撮影並びに同機（あるいはクラウド上）への画像データ保存が一般的になっています。「クラウド」とは、インターネットなどのコンピュータ・ネットワークを経由し、ソフトウェアや記憶装置といった種々のサービスを提供する形態のことを指します。したがって、ユーザはソフトウェアの購入やインストールを行うことなしに、必要な機能だけを選び利用することが可能です。なお、この場合のクラウド上での保存とは、クラウド事業者が提供するインターネット上のサーバ群に、画像データを格納することを意味します。

カメラ・オブスクラを利用して描かれた絵画作品

カナレット（ジョヴァンニ・アントニオ・カナル）《ヴェネツィア：大運河のレガッタ》
1735年頃 油彩、カンヴァス 117.2×186.7cm、ロンドンナショナルギャラリー蔵
提供：akg-images/アフロ

現存する最古の写真

ジョゼフ・ニセフォール・ニエプス 《Un cheval et son conducteur（馬引く男）》
1825年頃、ヘリオグラフィ

映画の歴史

19世紀後半からは、世界中で連続撮影や動画に関する研究が絶えず続けられてきました。そして1893年には、アメリカのトーマス・エジソン（Thomas Alva Edison, 1847〜1931年）のアイディアに基づき開発された、「キネトスコープ」（動画鑑賞機）が一般に公開されます。光源の前でシャッターを切りながら、連続写真のセルロイド製ロール・フィルムを高速移動させることで、動画を映し出す機器です。さらにフランスのオーギュスト（兄）とルイ（弟）のリュミエール兄弟（Auguste Marie Louis Lumiere, 1862〜1954年／Louis Jean Lumiere, 1864〜1948年）は同機を改良し、世界初の撮影および映写機能を持つ複合機「シネマトグラフ・リュミエール」を開発しました。二人は1895年3月にパリで開催された科学振興会で同機を公開し、続く同年12月にはパリのグラン・カフェで有料上映会を開催しています。現在では、この催しが映画館の起源であると考えられています。

一方のエジソンは、前項で触れたジョージ・イーストマンの協力によって、セルロイド製の長尺フィルムで巻き返しを図ります。当時フィルムの統一規格はなく、13〜70ミリまでさまざまでした。エジソンの技術助手、ウィリアム・ディクソン（William Kennedy Laurie Dickson, 1860〜1935年）は、アスペクト比（画像の縦横比）とフィルム両脇に一定間隔で開けられた送り穴（パーフォレーション）の数を考慮した上で、イーストマン社が製造していた42インチ（約106センチ）幅のフィルム・ベース（フィルム生地）から、最も効率よく撮ることのできる「35ミリフィルム」を開発します。結果的にエジソン研究所による同フィルムは、現在も標準規格に採用されています。

黎明期からしばらくの間は、音声を伴わない「サイレント映画」のみでしたが、1927年には世界初の映像と音声が同期した「トーキー映画」が公開されました。そして、1930~1940年代に第二次世界大戦の影響によって多くの映画人が米国へ亡命すると、ハリウッドはその黄金期を迎えることになります＊ⓔ。

1990年代以降は、コンピュータ・グラフィックス技術の発展・導入に伴い表現が多様化し、現在ではフィルムからデジタルシネマ（デジタル・データを使用する映画）へと急速に移行しつつあります。

フィルムの構造と素材

本節では、写真および映画に使用されるフィルムの構造と素材について説明します。まず、写真および映画のフィルムは、基本的に「支持体」「バインダ（媒材）」「画像材料」の3層で構成されています（次ページの図参照）。この構造は白黒とカラーフィルムで、若干異なっています。

フィルム素材としては、セルロースナイトレート（硝酸セルロース）、セルロースアセテート（酢酸セルロース）、ポリエステル（ポリエチレンテレフタレート）の3種類が存在しています。これらは、写真のネガフィルムやスライドおよび映画フィルム、資料保存用マイクロフィルムなどの支持体として使用されています。本項ではそれぞれの特徴に加え、取り扱いおよび保存上の注意点も併せて記しておきます。

フィルム素材の種類

●セルロースナイトレート製フィルム

同フィルムは１８８９年から１９５１年まで製造され、主に１９００年から１９３９年の期間使用されていました。化学的に不安定で、極めて燃えやすい性質を有しています。室温以下の保存・保管環境でも劣化し続け、その過程でガスを発します。フィルム収納容器から外にガスを逃さなければ、褐色に変色し粘着性を帯び、脆くなるといった

カラー写真用フィルムの構造（現像時）

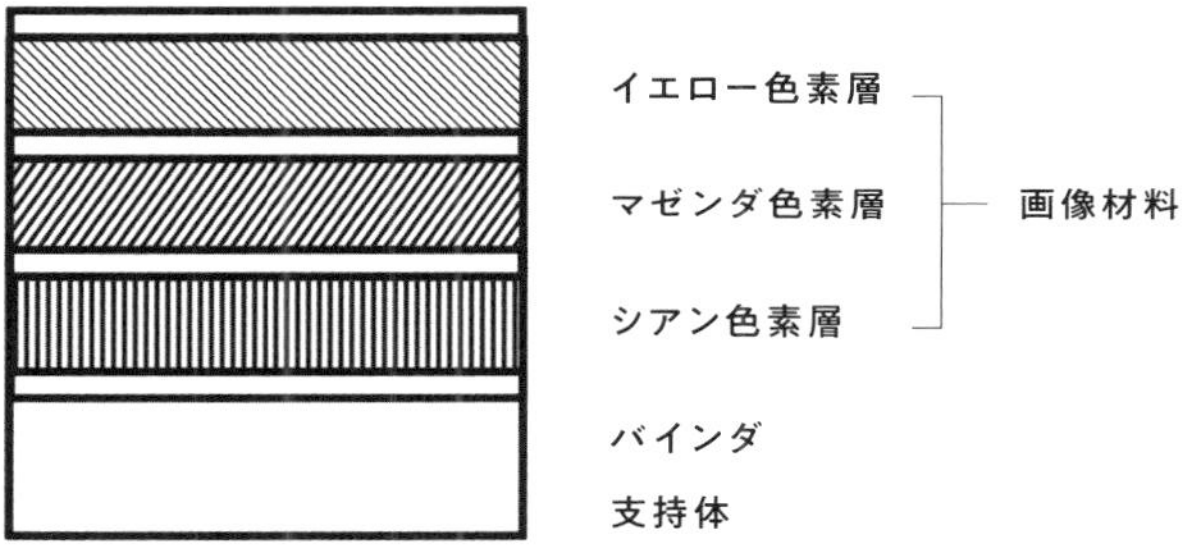

- **画像材料**：銀やカラー染料、顔料粒子などから成り、バインダの中に分散して存在しています。なお、映画用カラーフィルムは、イエロー、シアン、マゼンタの３層の染料を含んでいます。

- **バインダ（媒材）**：乳剤であるゼラチン質のバインダに写真感光材が分散しており、この層に映像が形成されます。また、画像形成材料を支持体と結び付ける機能も担っています。

- **支持体**：透明プラスチック・フィルムやガラス、紙などから成る支持体層を指します。

症状が現れます。最終的には灰褐色の粉末状となって、画像や音声記録も完全に破壊されてしまいます。

なお、劣化が進むと自然発火するため、他の作品や資料などから隔離して適切な環境の下で保存しなければなりません。

●セルロースアセテート製フィルム

１９３５年に導入され、１９３９年以降、前項のセルロースナイトレート製フィルムに代わって主流となりました。アセテートとは、木材繊維や綿花といった非可食性植物由来のセルロースを原料とし、その水酸基を酢酸で化学修飾（エステル化）することで得られる合成樹脂です。室温保存でも、酢のような臭気ガスを発する「ビネガー・シンドローム」という劣化現象を起こします。同症状における酢酸成分は、周囲のアセテート系フィルムにも伝染することから、換気とともに隔離保存が必須となります。

●ポリエステル製フィルム

１９５０年代中頃には、ポリエステル製の不燃性フィルムが開発・発売されました。同フィルムは、現在使用されている素材の中で最も強度が高く、また化学的にも大変安定しています。そのため、いまでは長期保存が必要な写真や映像記録用の「安全フィルム」として、広く認知されています。

ちょっと寄り道

COLUMN 11

はじめて重要文化財に指定された映画

『紅葉狩』は、1899年に製作されたサイレント映画で、日本人によって撮影された現存する最古の動画です。同作品は2009年、映画フィルムとしては日本初の重要文化財に指定されました。これは5代目・尾上菊五郎（1844～1903年）演じる平維茂《たいらのこれもち》が、信州戸隠山で出会った9代目・市川団十郎（1838～1903年）演じる更科姫=鬼女を退治する歌舞伎舞踊を記録したものです。撮影は、後に日本美術写真印刷所の創業者となった、柴田常吉（1870～1929年）によるものです。

その後、2010年には尾上松之助（1875～1926年）の『史劇 楠公訣別』（1921年）が、翌2011年には現在のライオン株式会社・創業者である初代小林富次郎（1852～1910年）の葬儀を撮影した、『小林富次郎葬儀』（1910年）が相次いで重要文化財に指定されています。

これらの貴重なフィルムをはじめとし、日本映画7万3133本、外国映画1万6111本を所蔵・保存しているのが国立映画アーカイブです。米軍キャンプ淵野辺跡地に建つ同館相模原分館（神奈川県）の3つの映画保存棟のうち、2014年に竣工した「映画保存棟Ⅲ」は、消防法による第5類1種危険物に指定されているセルロースナイトレート製フィルム（本章142ページ参照）を、安全に保存・保管する特殊な設備を有しています。

『紅葉狩』1899年（明治32年）九代目市川団十郎の演じる更科姫
画像提供：国立映画アーカイブ

現存する日本最古の映画（動画）
柴田常吉『紅葉狩』 1899年
「映像でみる明治の日本」
https://meiji.filmarchives.jp/works/01.html

フィルムの劣化と損傷

物理的損傷

ポリエステル製に比べセルロース系フィルムは、強度の点で劣っており損傷しやすいため、取り扱いには細心の注意が必要です。巻き取りや映写の際に、フィルムへ圧力が掛かれば破れることも少なからずあります。また、フィルムを扱う場合には、起毛していない木綿の白手袋をはめ、端の部分だけを持つように心掛けます。加えて、清潔かつ通気性の良い場所で、十分なスペースを確保してから作業を行うようにしましょう。

カビや細菌による劣化・損傷

温・湿度が高い環境下にあるフィルムは、カビや細菌の発生・繁殖などによる劣化を被ることが往々にしてあります。微生物による被害は、空気に触れているフィルムのエッジ部分からはじまり、徐々に全体へと広がっていきます。はじめは細かな白い粉がふき、その後はクモの巣状に乳剤層を侵食していくため、早期の発見と処置が肝要です。

ビネガー・シンドロームによる劣化・損傷

前項で触れたアセテート系フィルムの劣化症状である「ビネガー・シンドローム」は、室温における経年保管でも発生します。酢酸臭を発する劣化フィルムは、収縮し湾曲したりゆがんだりするだけでなく、乳剤層の剝離・剝落を引き起こします。

一旦劣化したフィルムはもとには戻らないため、収蔵条件を改善することで劣化速度を遅らせつつ、フィルムの複製やデジタル・データ化によってコンテンツの消失に備えます。なお、劣化が進んだフィルムを取り扱う際には、換気に十分留意した上で、マスクに加えて、ダイビング用ウェットスーツ素材として知られるネオプレン③製の手袋を着用します。また、作業時間を制限するなど健康への十分な配慮も必要です。

③ ネオプレン
デュポン社が開発した、クロロプレンを重合させて得られる合成ゴムの商品名です。

不適切な環境下での保存による劣化・損傷

セルロース系フィルムは室温でも劣化するため、白黒プリントやフィルムは温度18℃以下、湿度30〜40%での保存が望ましいとされています。また、カラーの場合には、温度2℃以下、湿度30〜40%の冷蔵保存庫への収蔵が適しています。なお、長期保存を目的とした場合には、温度をマイナス4℃〜18℃に設定した冷凍保存庫を利用する場合もあります。

ただし、冷蔵・冷凍保存を行った場合、保存庫から出して室温で作業を行う際には結露によってフィルムに水滴跡がついたり、多湿状態による化学物質の変質を誘発させたりするため、くれぐれも注意が必要です。

また、ポリエステル製フィルムであっても高温多湿の環境下では、濃度変動や変色が徐々に生じるだけでなく、最終的には製品寿命を短縮化させてしまうため留意しましょう。

フィルムの修復処置

クリーニング

映写油や埃、カビなどは専用のフィルム・クリーナー液（シリコーン系溶剤）を毛羽立っていない布か綿棒にとり、慎重に拭き取っていきます。作業は、白手袋などを着用した状態で行います。なお、アルコール系など溶剤の種類によっては磁気テープや磁気サウンド付フィルムに使えない場合もあるため、使用前に成分表示をしっかりと確認しておきます。

フィルムの物理的修復

フィルムの損傷箇所を接合する場合や、フィルム縁の細長い送り穴であるパーフォレーションの補修は、専用スプライシング・テープ（シリコーン系粘着剤を使用したポリエステル製のつなぎ用テープ）やフィルム・セメント（有機化合物による接着液）を用いて行います。ポリエステル製フィルムの場合には、超音波でフィルムを溶かして溶着する超音波スプライサーを使用する場合もあります。

フィルムの複製

一旦劣化したフィルムは、物理的にはもとには戻らないため、デジタル・データ化を含めた複製によってその内容を保存します。その際、退色や湾曲、ゆがみに加え、画面上の縦筋や黒い斑紋といった経年および保存・保管環境による劣化も、デジタル処理である程度補正・再生することが可能です。ただし、劣化・損傷の激しい箇所については、完全に複製をすることは困難です。

COLUMN 12 ジャパニメーションの始祖とは？

日本や中国においては、古来より絵画に時間軸や物語性を取り入れた絵巻物が数多く描かれてきました。中でも平安時代の《伴大納言絵詞》（12世紀後半）には、異なる時間を一つの構図の中で表す日本独自の「異時同図法」が用いられています。また、漫画の起源といえるような《鳥獣戯画》（12～13世紀）では、擬人化された蛙や兎、猿が相撲を取ったり、水遊びをしたりする様子が生きいきと描写されています。

　こうした伝統にしたがい制作された現存する日本最古のアニメーション作品が、幸内純一《こううちじゅんいち》（1886～1970年）による**『なまくら刀』**（1917年）です。1917年は奇しくも、現代アートの祖といわれるマルセル・デュシャン（Marcel Duchamp, 1887～1968年）による記念碑的作品**《泉》**が制作された年でもあります。フランス現代アートの祖と日本初のアニメーションという、歴史的な巡り合わせの妙には驚きを禁じ得ません。こうした作品は画にアニマ（ラテン語で生命、魂の意味）を吹き込み、人間のみならず動物や精霊までを包含する、我が国のアニミズム≒多様性寛容を表出しているといえるでしょう。

　ちなみに『なまくら刀』は、2007年に大阪の骨董市でフィルムが見つかり、その後2014年と2017年に欠落部分が相次いで発見されています。それらは東京国立近代美術館フィルムセンター（現・国立映画アーカイブ）によってデジタル復元され、同センターの「発掘された映画たち2018」（2018年1月30日～3月4日）で新最長版として初公開されました。

『なまくら刀』［デジタル復元・最長版］［白黒ポジ染色版］（1917年）
監督：幸内純一　画像提供：国立映画アーカイブ

「日本アニメーション映画クラシックス」
https://animation.filmarchives.jp/works/view/100183

『なまくら刀』（別名：塙凹内名刀之巻《はなわへこないめいとうのまき》）：1917年1月下川凹天《しもかわへこてん》（1892～1973年）の『凸坊新《でこぼうしん》畫《が》帖《ちょう》　芋《いも》助《すけ》猪狩《いのししがり》の巻《まき》』（天然色活動写真株式会社）が東京・浅草公園6区のキネマ倶楽部で、次いで同年5月北山清太郎（1888～1945年）による『猿蟹合戦』（日活向島撮影所）が同じく6区のオペラ館で公開されました。6区の帝国館で『なまくら刀』（小林商会）がお披露目されたのは、それから1ヵ月後の同年6月でした。しかし、他2作は現物が存在していないため、現在に至るまで同作が最古の日本アニメとして認識されています。

《泉》：デュシャンが、磁器製の男性用小便器にR.Muttという架空のアーティスト名でサインし、《泉（Fontaine）》というタイトルをつけた作品。既製品（レディメイド）である便器をギャラリーや美術館といった特権的空間に置くことにより、その権威を露わにするとともに、私たちの芸術の概念や制度自体に問い質しています。

フィルムの最適な保存環境

前項でも触れた通り、本書で紹介してきた他の美術作品や文化財と異なり、フィルムの場合にはその素材特性にかんがみて、冷蔵・冷凍保存を行います。劣化が進んだフィルムの物理的回復は極めて難しいため、修復よりも保存が重要となってきます。

そこで保存庫の特殊な環境に加え、フィルム包材についても細心の注意が必要です。シートフィルムやネガフィルム、スライドはスリーブに入れ専用の保存箱に収納した上で保存します。紙製包材は、セルロース含有率が高く、リグニン、金属粒子、酸、過酸化物、ホルムアルデヒドなどを含まない中性紙製品を使用すべきでしょう。また、プラスチック系包材については、可塑剤を含まないものを使います。

映画などのロール・フィルムは、乳剤面を内側にして不活性プラスチック製のコア（芯）に巻いて保存します（長期保存の場合には、コアを抜きストレス軽減を図る場合もあります）。巻き上げたフィルムは、可塑剤、塩素、過酸化物などの有害物質を含まない容器に入れ保存庫に収蔵します＊ⓕ。

フィルム以降のデータ記録媒体の変遷と保存

主要な記録媒体の特性を歴史的に振り返れば、フィルムは自然発火や「ビネガー・シンドローム」を起こすため、長期保存が困難でした。その後、1970年代中盤に登場したビデオテープは、最適な保存環境（温度15～25℃、湿度40～60％）下でも経年劣化を免れず、その寿命は30年前後といわれています。加えて、機器や環境次第では再生回数によって、テープに摩耗や劣化が生じるという問題点も指摘されています＊⑨。

2000年代に入ると、樹脂等で作られた数ミリ厚の円盤表面に微細な凹凸を形成する方法で情報を記録する光ディスクが登場し、ビデオテープに取って代わるようになりました。DVD（Digital Versatile Disc）や、その後はより大容量であるBD（Blu-ray Disc）に記録された作品が主流となってきています。CD（Compact Disc）を含め、こうした光ディスクの耐用年数は、製造企業による品質の違いや保存環境などによってもかなり差はありますが、約30年から最長でも100年程度と考えられています。ちなみに、CDとDVD、BDのサイズはいずれも直径12センチ、厚さ1.2ミリであるため、ラベルやロゴを確認しなければ見分けることが非常に困難です。構造的にも保護層（光透過層）、反射層、樹脂層の3層から成っている点が共通しています。しかし、透明基板を通してレーザー光が照射されるCDとDVDに対して、BDは基板反対側の保護層から照射されるという大きな違いがあります。

加えてBDは保護層が0.1ミリと非常に薄く、記録層がディスク表面に近いため、とてもデリケートです。したがって、CDやDVD保存用の不織布（繊維を織らずに、機械的・化学的に絡み合わせた布）製スリーブに入れて保存すると、同布の凸凹が記録層に転写され、読み込みエラーなどのトラブルを起こします。BDの保存・保管には、専用のスリーブやケースを用いることが大切です。

また、磁性体を塗布した円盤を高速回転させ、磁気ヘッドを移動することで、情報を記録し、読み出す補助記憶装置（外部パスに接続され、CPUの入出力命令で操作する）の一種であるHDD（Hard Disk Drive）は、保存できるデータ容量は大きいものの、平均的な耐用年数は短く5～10年、半導体素子を利用したフラッシュメモリに至っては3～5年であることから、一時的なデータ保管のみに留めておいたほうが良さそうです。

1994年から蒐集を開始し、現在150点を超える筆者のタイムベースド・メディア作品コレクションも、その蒐集期間を反映して、フィルムにはじまり、VHSやBETACAM（ベータカム／主に放送、業務用のデジタルVTR規格）といったビデオテープ、そしてCD-RやDVD、BD、ここ最近のUSDメモリやSDカード、ハードディスクまで、記録媒体は多種多様を極めます。

映像作品は、その記録方式によって、再生に専用のソフトウェアや機器が必要な場合も多くあります。しかし、BETACAMは2002年、VHSは2016年に、それぞれ再生機器の生産が終了しています。加えて、撮影機材の画面アスペクト比④が4：3から16：9に変化したことに伴い、現在では前者の鑑賞に適したスクエア型モニターは入手しづらい状況となってしまい、価格も割高傾向にあります。

以上のように多くのタイムベースド・メディア作品は、日々作品（データそのものや記録媒体）の劣化や消滅、あるいは再生・鑑賞機会の減少、さらには喪失といった危機に直面しています。

こうした課題に対する解決策としては、著作権保持者の許可を得て、マスター・テープやマスター・データ（原盤）を複製（デジタル・データ化含む）し、作品収蔵庫などでの物理的な保存に加え、サーバ上などにデジタル・データでも保存していくことが挙げられます。しかし、それだけでは決して十分とはいえないでしょう。

④ 画面アスペクト比
1980年代後半にHDTV（高精細度テレビ）標準計画が審議、策定される際に、エジソン研究所開発による35ミリフィルムの4：3と、1950年代に20世紀フォックスが生み出した「シネマスコープ」の2：35という、両極のアスペクト比に対し、（映像上下に多少の「空白」を設ければ）変換可能な16：9をSMPTE（米国映画テレビ技術者協会）が提案。現在では、主軸となっています。

作品証明書と指示書の重要性

本節では、タイムベースド・メディア作品における重要な作品構成要素である、「作品証明書（Certificate / Certification）」並びに「指示書（Instruction）」について述べておきます。なお、証明書発行制度が普及する１９９０年代以前のものを中心に、作品記録媒体の盤面などに制作者が直接署名を施した作品も存在しています。

さて、前者の作品証明書は、複製化が比較的容易な映像作品において、上映権（通常は、営利目的以外の上映に限られ、著作権者に対する事前の許諾確認が必要）の付与上必須であり、したがって、その発行数＝作品制作数⑤も極めて限定的となります＊ⓗ。少々大袈裟ではありますが、作品証明書は制作・記録された映像を、美術作品たらしめている根拠といっても差し支えないでしょう。一方で後者の指示書については、作品が美術作品として展示・公開される際の、適切な環境や使用機材に関する指示をまとめたものです。

また、作品（＝映像などを記録した媒体）を収納するケースも、素っ気ないカートン・ボックスから、贅《ぜい》を凝らした工芸品のようなものまでさまざまです。美術作品の一部として、それらの保存にも恒温恒湿管理など細心の注意が必要であることはいうまでもありません。なお、作品証明書の一例を参考として掲載しておきます（本章１５９ペ

⑤ 発行数＝作品制作数
いわゆるエディションと呼ばれているもので、あらかじめ決められた数量以上は作品として販売（複製、プリントなど）されません。その限定数は、作品によってまちまちです。

ージ図❹参照）。

さらに、前項で言及したビデオ再生機器の生産終了に関連して、タイムベースド・メディア作品の具体的な延命手段についても、ここで述べておきたいと思います。

1960～1970年代に世界を席巻したミニマリズム⑥を代表するアーティスト、ダン・フレイヴィンは、蛍光灯による光の彫刻とも呼ばれる作品を数多く制作しています。また、ビデオ・アートの父と呼ばれるナムジュン・パイクの代表作は、ブラウン管テレビを使用した映像インスタレーション作品です。いずれも作品制作当時に、蛍光灯からLED、そしてブラウン管からプラズマ、さらには有機ELの登場に伴う旧機材の生産終了といった技術進化を予想するのは非常に困難でした。しかし、LEDやプラズマ・ディスプレイに機材を変更した場合、それらが真正の作品であるかどうか判断・証明することは、アーティスト没後のいま、誰にとっても不可能でしょう。

以上のことから、作品制作者は自らの死後も続いていく技術進化を予想した上で、未来の処置についても（指示書などに）記載しておくべきであると考えます。たとえば、現状と同様の効果が得られる技術や機材への代替・置換については、それらが作品のオリジナリティを著しく棄損しない限り、あらかじめ明記しておくことが望ましいといえます。

⑥ ミニマリズム
1950年代後期～60年代前半に美術、デザイン、音楽の領域で出現した、装飾および説明的部分を極力削ぎ落としたシンプルな表現作品に対する総称。美術の分野では本文中で紹介したダン・フレイヴィン以外にも、ドナルド・ジャッド（Donald Clarence Judd, 1928～1994年）やカール・アンドレ（Carl Andre, 1935年～）が代表的なアーティストとして知られています。

このような問題に対する解決策として、チームラボ⑦代表の猪子寿之《いのことしゆき》氏は「いままではハードディスクにデータを入れて、証明書とともに渡していましたが、そろそろクラウド化してゆきたい。なぜなら、技術進化に伴い、我々の作品はシステムやプログラミングを更新、改修する必要が生じるからです。たとえば、作品の保守・管理を専門的に担う会社をチームラボとは別にグローバル・ギャラリーと共同で設立し、作品を所蔵されている皆さんから少しずつ管理費をいただく。そうすれば、当社の存続にかかわらず、作品が未来永劫に生き続けていくことも無理ではない」と述べています＊ⓘ。

また、映像インスタレーション作品の指示書には、使用機材の指定や映像投影方法、音響システムのみならず、（映像投影）壁面を含めた作品展示空間全体の設えや照明指定に至るまで、細かな指示が記載されているケースも少なくありません。次ページ図❶❷は、台湾の若手アーティスト張徐展《じゃんしゅうじゃん》（Zhang Xu Zhan, １９８８年〜）による《Zhang Xu Zhan's Stomach（Room）》（２０１３〜２０１５年）の作品設置・展示に関する指示書と実際の展示風景です。

一方、次ページ図❸は同じく台湾出身で、「第16回台新藝術奨（台新アート・アワード）」の視覚芸術部門賞を受賞した蘇匯宇《すふぇいゆ》（Su Hui-Yu, １９７６年〜）による４チャンネル・ビデオ・インスタレーション作品《The Glamorous Boys of Tang（１９８５、Qiu Gang-Jian）》（２０１８年）の展示風景です。特殊なモニターをまるで屏風のよ

⑦ チームラボ
プログラマやエンジニアをはじめ、グラフィックデザイナーやCGアニメーターなど、さまざまなデジタル分野の技術者で構成されたアート集団。

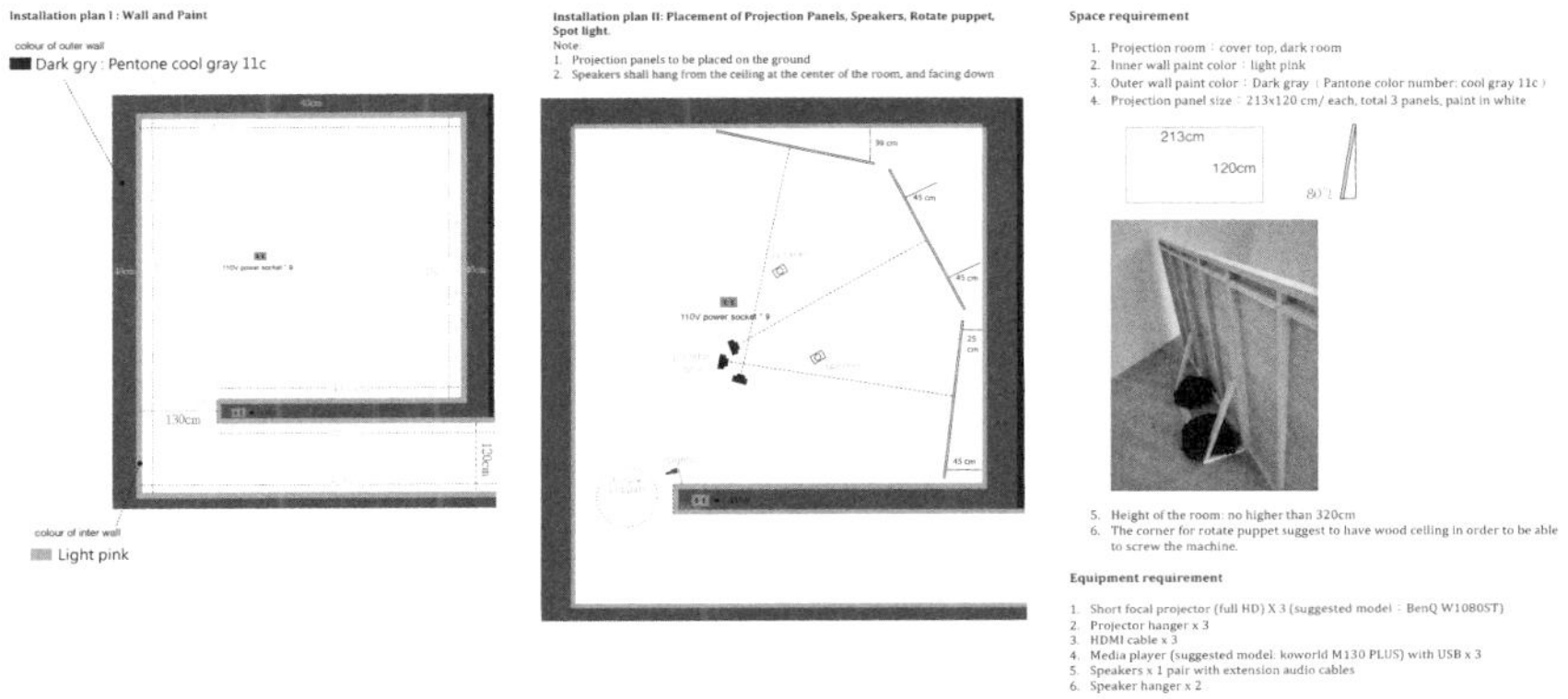
Installation plan I : Wall and Paint

colour of outer wall
Dark gry : Pentone cool gray 11c

130cm
120cm

colour of inter wall
Light pink

Installation plan II: Placement of Projection Panels, Speakers, Rotate puppet, Spot light.

Note:
1. Projection panels to be placed on the ground
2. Speakers shall hang from the ceiling at the center of the room, and facing down

110V power socket
99 cm
45 cm
45 cm
25 cm
45 cm

Space requirement

1. Projection room : cover top, dark room
2. Inner wall paint color : light pink
3. Outer wall paint color : Dark gray (Pantone color number: cool gray 11c)
4. Projection panel size : 213x120 cm/ each, total 3 panels, paint in white

213cm
120cm

5. Height of the room: no higher than 320cm
6. The corner for rotate puppet suggest to have wood ceiling in order to be able to screw the machine.

Equipment requirement

1. Short focal projector (full HD) X 3 (suggested model : BenQ W1080ST)
2. Projector hanger x 3
3. HDMI cable x 3
4. Media player (suggested model: koworld M130 PLUS) with USB x 3
5. Speakers x 1 pair with extension audio cables
6. Speaker hanger x 2

❶張徐展 《"Zhan Xu Zhan's Stomach" Hsin Hsin Joss Paper Store Series Room 001》指示書
Courtesy of the artist and Project Fulfill Art Space, Taipei

❷張徐展《"Zhan Xu Zhan's Stomach" Hsin Hsin Joss Paper Store Series Room 001》展示風景
2013〜2014年、3 channels animated video installation、5 min（Loop）
Courtesy of the artist and Project Fulfill Art Space, Taipei

❸蘇匯宇《The Glamorous Boys of Tang（1985, Qiu Gang-Jian）》展示風景
2018年、4 channels video installation, Color/sound、17'00"
Courtesy of the artist and Double Square Gallery, Taipei

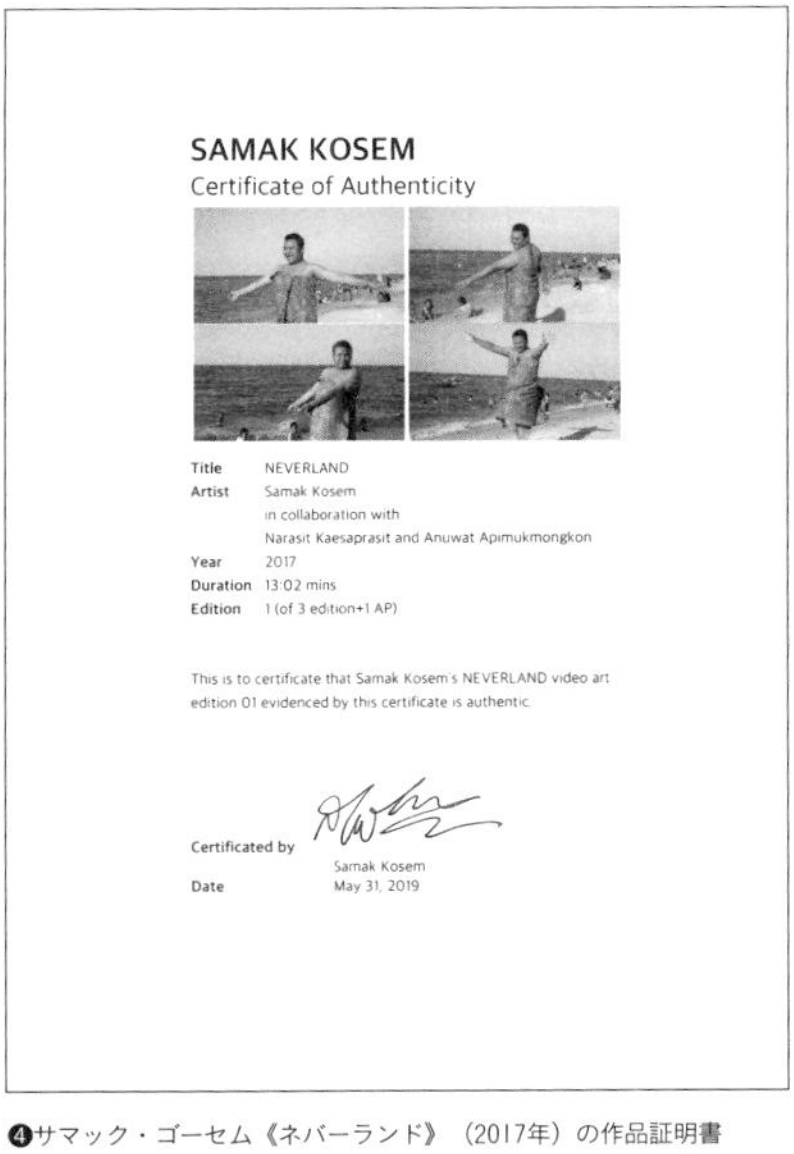
SAMAK KOSEM
Certificate of Authenticity

Title	NEVERLAND
Artist	Samak Kosem in collaboration with Narasit Kaesaprasit and Anuwat Apimukmongkon
Year	2017
Duration	13:02 mins
Edition	1 (of 3 edition+1 AP)

This is to certificate that Samak Kosem's NEVERLAND video art edition 01 evidenced by this certificate is authentic.

Certificated by
Samak Kosem
Date May 31, 2019

❹サマック・ゴーセム《ネバーランド》（2017年）の作品証明書
Courtesy of the artist and nca | nichido contemporary art, Tokyo

うにセッティングしているため、こちらにも展示に関する詳細な指示書が付随しています。

さて本項の最後に、タイムベースド・メディア作品の市場性についても少し触れておきたいと思います。

たとえば映画館で上映される映画と、家庭内でのプライベート視聴に限定された数千円のセルＤＶＤは、コンテンツ内容が同じであったとしても、それらの間には経済的に大きな隔たりが存在します。同様に閲覧用ビューイング・コピーと、証明書が付随した映像作品とはまったくの別物です。しかしながら映像作品が、オークションなどセカンダリー・マーケット⑧における取引実績が圧倒的に少ないのは、絵画などのユニーク・ピースが放つ唯一性というアウラや、彫刻の堅固な物質性だけに因るものではありません。マスターと複製とが解像度を除き（時に解像度も含め）すべてが同じである点に加え、証明書という脆弱な基盤に立脚している点を、その要因として挙げることができるからです。

以上のような特徴を踏まえた上で、次節ではブロックチェーンという新しい技術を活用した、タイムベースド・メディア作品の保存と活用方法について述べていきます。

⑧ セカンダリー・マーケット
すでに販売され、一度コレクターや企業、美術館などの手に渡った作品が再販される市場のこと。代表例としてオークションによる取引を挙げることができます。それに対して、ギャラリーでの展覧会などを通じて（作品制作後）最初に販売される作品の市場を「プライマリー・マーケット」と呼びます。

ブロックチェーンの作品保存への活用

ブロックチェーンが有する優位性とその活用

ブロックチェーンとは本来、暗号資産（仮想通貨）⑨を支える技術であり、「ブロック」とは一定数のトランザクション（取引履歴データ）を格納したものを指しています。そして新たに生成されたブロックや、それに続くブロックに取引記録が取り込まれることを「承認」と呼んでいます。これらブロックが次々と追加され、まるで鎖のように連なることから「ブロックチェーン（分散型台帳技術）」と呼ばれているのです。

この技術が持つ優位性は、(1)特定組織の中央管理を不要とする、民主的な「分散型ネットワーク」である点、(2)取引情報の公開・可視化による安全性、そして、(3)強固な耐改竄性（取引記録の「不可逆性」担保）の3点です。

では、民主的にしてセキュアかつ耐改竄性に優れたブロックチェーンを、どう活用すればタイムベースド・メディア作品の保存、ならびに市場性向上に寄与できるのでしょうか。

最初に言及すべきは、「記録に対する証明機能」でしょう。暗号化されたデータは不可逆性が高く、特定が極めて困難であるため、意図的に改竄すれば累積された後続デー

⑨ 暗号資産（仮想通貨）
暗号理論を用いて取引の安全性確保や発行統制を行う、日本円や米ドルといった法定通貨とは異なる代替通貨の一種。ビットコインはその先駆かつ代表例。暗号資産は通貨に限らず、インターネット上で取り扱い可能なあらゆる資産を包含しています。

タとの整合性が取れなくなります。ブロックチェーンのこうした機能を、各種契約書・証書の証明機能に活用した実証実験は、すでに数多く行われています。同様に作品証明書や鑑定書の作成と、所蔵者の変更に伴う所有権並びに証明書の移転も、ブロックチェーンを用いればスムーズかつ簡便に行うことができます。

また、作品価値に直結する来歴や展覧会出品履歴の管理・証明と、閲覧・情報共有にも大きく資するものと考えられています。たとえば、マスター・テープをデータ化してサーバに保存するとともに、それに紐づける形で証明書や所有権、来歴などを管理することも難しくありません。

さらに、ブロックチェーンを利用した契約自動執行プログラム「スマートコントラクト」は、第3者を介することなく、あらかじめ定義されたコード通りに各種処理を行うため、高い透明性と低コストを両立することが可能です。加えて、同プログラム導入により、映像作品の鑑賞とそれに伴うスムーズな閲覧料金の課金・徴収、そして権利保有者に対するレベニュー・シェア⑩までもかんたんに処理することができます。コレクターや財団、美術館にとって、所蔵作品が多少なりとも利益を生めば、高騰する作品保存コスト軽減の一助にもなるはずです。また、コマーシャル・ギャラリーにとっては、在庫作品のキャッシュ・コンバージョン・サイクル（仕入から販売に伴う現金回収までに要する日数。資金効率を見るための指標であり、短いほど効率的であるといえる）を利用した、新たなビジネスモデル創出も決して夢ではありません。

⑩ レベニュー・シェア
発生した売り上げや利益を事業の受注側、発注側や複数の企業や個人間で、あらかじめ決めた割合で分配する契約です。

前述した2点に付随する効果として、ブロックチェーン導入によって外貨への両替や海外送金に係る高額な手数料が劇的に改善され、一層のフィンテック⑪推進が図られることも予想できます。昨今はSNSを通じた作品画像の確認と契約交渉の推進や、コロナ禍に伴うオンラインでの作品売買も加速しています。ブロックチェーンの導入が、幅広い作品を対象にしたグローバルな取引をさらに活性化していくことは明らかでしょう。

こうした機能および効果が十分に実証・認知されれば、セカンダリー・マーケットにおけるタイムベースド・メディア作品の取引も活発化していくものと思われます。

⑪ フィンテック
金融(Finance)と情報技術(Technology)を組み合わせた、モバイルQRコード決済などの先進的な金融サービスを指します。

NFT作品における課題と将来への展望

アート業界における急速なブロックチェーンの導入は、近年、NFT(Non-Fungible Token)関連のニュースが世間をにぎわせていることからも明らかです。NFTとは「非代替性トークン」と訳され、唯一性のあるデジタル・データの認証を指します。本書では、電子証明書をミント(スマートコントラクトを利用し、NFTを作成・発行すること)した作品データをNFT作品と称します。

2021年3月、Beeple(本名:マイク・ヴィンケルマン、Michael Joseph Winkelmann, 1981年〜)のNFT作品《Everydays-The First 5000 Days》が、ク

リスティーズ・オンラインセールにおいて約6935万ドル（約75億円）で落札されました。これは、存命アーティストの落札価格としては歴代第3位⑫であり、デジタル・アート作品並びに、オンライン・オークションにおける落札価格としては過去最高額に達しています。Beepleは毎日1点のデジタル・アートを作成する「Everyday」というプロジェクトを13年以上続けており、それら5000点の画像を一つの作品にまとめて出品したということです。

　このNFTにはブロックチェーン技術が用いられており、他の人に送ったり、取引したりできる点は暗号資産（仮想通貨）とよく似ています。一方、それぞれが唯一無二という点で、暗号資産とは大きく異なっています。

　デジタル空間では、画像やプログラムといったさまざまな情報の複製が容易であったがゆえに、唯一性や希少性による付加価値の付与が困難でした。しかし、耐改竄性に優れたブロックチェーンにより来歴や真作証明がなされれば、こうした問題は解決され、デジタル作品の売買・流通は活況を呈するはずです。NFT作品とは、まさに、ブロックチェーンの作品保存に対する活用（本章161〜163ページ参照）に、作品取引機能を組み合わせたものといえるでしょう。

　NFT作品を購入するためには、日本円で「暗号資産」を買い、それを管理するための「ウオレット」（暗号資産を保有・管理・移転するために必要な、銀行預金口座のような存在）を入手します。そして、「マーケット・プレイス」と呼ばれる作品売買が行

⑫ 歴代第3位
2019年5月15日にクリスティーズ・ニューヨークにおける、ジェフ・クーンズの《ラビット》が9107万5000ドル（100億円強）の過去最高価格で落札。次いで、その前年の2018年11月15日には、クリスティーズ・ニューヨークでのデビッド・ホックニーによる《芸術家の肖像画―プールと2人の人物》が、約9030万ドル（約100億円）落札されています。Beepleの《Everydays-The First 5000 Days》は、これらに続き存命のアーティストの作品では史上第3位の高額記録となります（2022年4月末日現在）。

われるプラット・フォーム上で取引を行うことになります。

しかし、こういったＮＦＴ作品は、手軽にアート作品を楽しむことができる反面、従来のアート作品（絵画、彫刻に代表される有体作品）に比べて注意すべき点が少なくありません。

ＮＦＴ作品の問題点

最大の懸念点として、まず挙げておかなければいけないのが、法による所有権が保証されていない点です。ＮＦＴ作品はビットコインなどの暗号資産と同様に、ブロックチェーン上のデジタル・トークンとして発行されたデータに過ぎません。したがって、有体性を欠くために民法上の「物」には該当しません。日本のみならず、世界的にこの考え方が現在の主流です。

各プラット・フォーマーが定めるオーナー登録により、所有権に類似する権利を付与される場合もありますが、あくまでプライベートな組織による保証に過ぎない点を理解しておくべきでしょう。なお、複製権を含む著作権が作品を制作したアーティストに帰属する点については、従来の有体作品と同様です。

次に注意すべきは、展示権に対する制限です。原作品（著作物が創作時点で、有体物である媒体に固定されたもの）の所有者や、所有者から許諾を得た者による展示に対して、著作権保有者による展示権は及びません。つまり作品制作したアーティストの許可を得ることなく、所有者は当該作品を展示することが可能なのです。しかし、同法は有体物を前提としているため、データであるＮＦＴ作品には適用されません。プラット・フォーマーによる利用規定に定められているケースが大半であると思われますが、展示・公開に際しては、（特に定められていない限り）原則として、アーティストからの許可が必要である点には留意しておくべきでしょう。

また、有体作品の権利存続期間は、通常、作品が物理的に存続する限り特に制限されません。しかし、ＮＦＴ作品の場合にはその点が不透明であり、永続性を保証しないプラット・フォーマーも少なからず存在しています。

さらには、有体作品については購入後に納品＝作品の引き渡しによって、作品は所有者の管理下に置かれるのが通常ですが、ＮＦＴ作品の場合には、オーナーとしてブロックチェーン上に登録されはするものの、その管理はプラット・フォーマーに委ねられたままのケースが大半です。したがって、利用者にとって契約上不利な措置を講じられる可能性もゼロではなく、実際、海外では訴訟にまで発展したケースもあります。

さらに、多くの場合、作品はサーバ（データ保管庫）に格納されていますが、サーバダウンあるいは破損といった障害、もしくはプラット・フォーマーの経営悪化や廃業により（サーバを）維持できない場合には、作品が消失するという最悪の事態も想定されます＊①。

これら以外にも、技術進化に伴う問題点やバグの発生など、ＮＦＴ作品を巡る環境には多くのリスクが存在しています。しかし、アート作品取引の新しい潮流が市場全体を活況化させている点に加え、将来的に一定の市場規模にまで成長していくことは間違いないと考えられています。

新しい技術の進展に伴う今後の展望

広義のタイムベースド・メディア作品は、従来と異なりギャラリーや美術館で鑑賞する作品ばかりではなく、テレビＣＭやＷｅｂ広告、あるいはゲームなどを発表媒体にしているものも少なくありません。よって、出演アーティストやタレントとの契約上、たった１クール（日本の広告、マスメディアの場合概ね３ヵ月）でテレビ画面はおろか、企業の公式Ｗｅｂサイトからも消えてしまう作品が大半です。

大英博物館やボストン美術館をはじめ、世界中のメジャー・ミュージアムにコレクションされている浮世絵も、制作された当初は役者のブロマイドであり、現代のチラシやポスターと同様の役割を担っていました。つまり、こうした優れた広告表現やエンターテインメントを、肖像権や著作権（広告における著作権は、広告主に帰属する場合がほとんどです）をクリアにし、閲覧可能な状態で後世に遺さなければ、将来、日本美術史に空白の時代を作ってしまうことになりかねません。

さらに、海外で普及しつつある「追及権」に関しても触れておきましょう。作品が転売される度に、著作権保有者あるいはその相続人などには売却価格の一部が支払われます。転売が繰り返される高額作品の作者やその遺族に対する「富の集中」や、価格形成における大きなファクターである適切な保存環境への投資を無視した著作権者偏重姿勢を改善し、日本の実情に合った制度を導入、正しく運用する＊ⓚためにも、ブロックチェーン技術を利用したスマートコントラクトの存在は必要不可欠といっても過言ではないでしょうか。

加えて、シェアリング・サービスにおける同技術の導入は、従来、破綻するケースが大半であった美術作品の共同保有（いわゆる競走馬における、共有馬主あるいはクラブ法人＝一口馬主のようなもの）や投資ファンドなどに関しても、その成功確率を格段に高める可能性を有していると考えられます。

ただし、こうしたサービスの実現・実用化においては、いかにブロックチェーンが強い耐改竄性を備えていたとしても、リアルな作品自体や紙製証明書をバーチャルなブロックチェーン上に記録・登録する段階で、改竄や偽造、転記ミスが発生するリスクについては認識しておくべきです。スマートコントラクトとは異なり、人的作業における性善説や正確性担保といった課題は、かんたんには解決できそうにないからです。

最後に、秘匿性重視の観点から、所有権に加え、作品証明書や来歴などの作品情報登録についても、ブロックチェーン導入に協力的でないディーラーやコレクターが一定数存在することも記しておきます。

こうした点は、ブロックチェーンの美術分野における普及拡大に向け、乗り越えていくべき大きな課題といえます。それでも、ブロックチェーンをはじめとする新しい技術が、タイムベースド・メディア作品の保存や活用方法のみならず、美術界全体を変えていくことだけは間違いないでしょう。

ブロックチェーンの応用で CMも未来の芸術作品へ

喜多川歌麿《寛政三美人（当時三美人）》
1793年、37.9×24.9cm、多色刷木版画
左から高島屋《たかしまや》おひさ、富本豊雛《とみもととよひな》、難波屋《なにわや》おきた

au三太郎CMより

おわりに

本書は、これから本格的に修復保存を学ぼうとする学生はもちろん、文化やアートに関わるさまざまな人たちに向けて有用かつ、ガイドブックのような入門書を出版したいという長年の思いを形にしたものです。

振り返れば30年以上にもおよぶサラリーマン生活から卒業し、53歳で大学教員に転身してから今日まで、まるでジェット・コースターに乗っているかのように目まぐるしい日々を送ってきました。

横浜美術大学への入職翌年にはコース主任となり、今回技術監修をお願いした先生方の授業のみならず、あらゆる関連科目を聴講することで、改めて修復に関する知識習得に努めました。さらにその後はコロナ禍中に学長を拝命、また時期を同じくして森美術館理事、紀南アートウィーク2021の芸術監督も務めることになりました。他方、大学教員となって以降、より深い専門性を追究すべく京都造形芸術大学（現・京都芸術大学）で修士号を取得し、現在は東京藝術大学後期博士課程に籍を置き、自らの学びも継続しています。

今回、幅広い分野や業務あるいは学習に寄与すべく構成・内容を練る時に、大学教員でありつつ美術館や芸術祭の運営に携わり、経営者でありながら学生でもある私自身の経験と、マルチ・アイデンティティが非常に役立ったと考えています。

２０１７年に寺田倉庫寄付講座としてスタートした横浜美術大学の修復保存コースは、２０２２年度からは通常コースとなり、全国でも数少ない、学部生から修復技術を学べるカリキュラムとして注目を集めています。アートに関するビジネスへの業態転換に伴い、次世代の人材育成に対する支援を決められた中野善壽前社長のご厚志に、心からの感謝を申し上げます。

タイムベースド・メディア作品を除いた絵画、紙、立体作品については、それぞれ上野淑美先生、田川奈美子先生、中村恒克先生に技術監修をお願い致しました。また、絵画を中心とする技法・材料の取りまとめは、鳥越義弘先生にご協力いただきました。そして、青幻舎の新庄清二さんと、編集にまつわるあらゆる業務をご担当いただいた宇川静さん、田中祥子さんのサポートなくしては、私の拙文が美しい書籍にまとまることはなかったでしょう。その他お世話になったすべての方々に、この場を借りて深く御礼を申し上げます。

さて、長くフランスで文化大臣を務めたアンドレ・マルロー（André Malraux, １９０１～１９７６年）の求めに応じ、１９７３年ニース近郊の美術館に貸し出された国宝《伝平重盛像》（鎌倉時代／13世紀）のクーリエ（美術作品の輸送に随行し、作品の梱包・開梱、展示作業を監督する者）として現地に赴いた有賀《ありが》祥隆《よしたか》（当時の文化庁技官、後の東北大学教授）は、温・湿度の変化から浮き上がった補彩について、以下のように回顧しています。
「平安・鎌倉時代の千数百年前に描かれた絵具は、よほどのことがない限り剥落はしない。オリジナルは風雪に耐えてきているのでほぼ動かないけど、補彩や修理した部分は危ない」※

それはオリジナル作品が纏う歴史の重みと、ある意味で正しく施された補彩についての示唆に富んだエピソードであるといえます。この世に生み出された美術作品や歴史的資料、文化財といった、私たち人類にとってかけがえのない財産が、一点でも多く、一日でも長く次の世代へと受け継がれていくことを願ってやみません。そして、本書が少しでもそのお役に立てれば、これに勝る喜びはありません。

最後に、いつも私を支えてくれている妻に、本書を捧げたいと思います。

※「私の紺丹緑紫抄ー有賀祥隆氏インタビューー」『國華清話会会報』第38号・令和3年秋刊、2021年、國華清話会・國華社、4ページ

2022年 春
宮津大輔

〈参考資料、引用・出典一覧〉

はじめに

＊ⓐ
小学館国語辞典編集部編『大辞泉 第二版』２０１２年

＊ⓑ
京都市立芸術大学 芸術資源研究センター「タイムベースト・メディアを用いた美術作品の修復／保存のガイド」
http://www.kcua.ac.jp/arc/time-based-media/?page_id=14 ２０２０年３月８日閲覧

第１章

＊ⓐ
今津節生「03 収蔵庫の温室度環境」『PASSION』VOL.30, September. 2006
https://www.kongo-corp.co.jp/passion/PASSION_Vol30_text/pg30_03.html ２０２０年３月８日閲覧

＊ⓑ
鈴鴨富士子他「絵画に発生する劣化生成物の研究―発生原因と修復措置について―」科学研究費助成事業 研究成果報告書、２０１６年６月17日
https://kaken.nii.ac.jp/file/KAKENHI-PROJECT-24501256/24501256seika.pdf ２０２０年３月８日閲覧

＊ⓒ
千葉大学真菌医学研究センター「真菌の細胞構造」『目で見る真菌症シリーズ2』
http://www.pf.chiba-u.ac.jp/medemiru/me02.html ２０２０年３月11日閲覧
カビと生活研究会編著、佐々木正実監修『トコトンやさしいカビの本』日刊工業新聞社、２００６年

＊ⓓ
アース製薬「アース害虫駆除なんでも事典」
https://www.earth.jp/gaichu/
「イカリ消毒 害虫と商品の情報サイト」
https://www.ikari.jp/

「For your Life 暮らしを快適に変えるヒント」Powered by フマキラー
https://fumakilla.jp/foryourlife/
国立研究開発法人 国立環境研究所「侵入生物データベース」
https://www.nies.go.jp/biodiversity/invasive/　以上、２０２０年３月28日閲覧
文化財虫菌害研究所編『展示・収蔵施設で見かける虫／博物館・美術館・図書館などで働く人たちへ』文化財虫菌害研究所、２０１５年
川上裕司、杉山真紀子『博物館・美術館の生物学―カビ・害虫対策のためのＩＰＭの実践』雄山閣、２００９年
有吉立『きらいになれない害虫図鑑』幻冬舎、２０１８年
スコット・リチャード・ショー『昆虫は最強の生物である／4億年の進化がもたらした驚異の生存戦略』藤原多伽夫訳、河出書房新社、２０１６年

＊ⓔ
公益財団法人 文化財虫菌害研究所「環境調査セット」
https://www.bunchuken.or.jp/publication/　２０２０年３月28日閲覧

＊ⓕ
社説「相次ぐ災害と文化財　保護意識を高めるために」毎日新聞、２０１９年1月28日・東京朝刊
https://mainichi.jp/articles/20190128/ddm/005/070/053000c

＊ⓖ
「浸水想定も対策せず　所蔵品水没の川崎市市民ミュージアム」神奈川新聞、２０１９年10月31日
https://www.kanaloco.jp/article/entry-205785.html
「川崎市市民ミュージアム 水没品、市費修復へ 9万点は保険補償外」タウンニュース宮前区版、２０１９年11月8日号
https://www.townnews.co.jp/0201/2019/11/08/505300.html
「水没した川崎市市民ミュージアムの収蔵品救出状況が明らかに。今年度中に地階からの浸水作品搬出を目指す」美術手帖、２０２０年2月３日
https://bijutsutecho.com/magazine/news/headline/21286　以上、２０２０年３月28日閲覧

＊ⓗ
東京消防庁「消防雑学事典 文化財防火デーの契機となった法隆寺金堂火災」
https://www.tfd.metro.tokyo.lg.jp/libr/qa/qa_50.htm　２０２０年３月28日閲覧

第2章

*ⓐ 福永香「5-2 テラヘルツ分光による文化財非破壊調査」『情報通信研究機構季報』Vol. 54 No.1, 2008年3月、57~60ページ
福永香、巌寶迫、小川雄一「テラヘルツ分光による文化財の検査方法」(JP2008215914A)
https://patents.google.com/patent/JP2008215914A/ja　2020年8月8日閲覧

第3章

*ⓐ アイメックス株式会社
https://www.aimex-apema.co.jp/　2020年11月1日閲覧

第4章

*ⓐ 日本製紙連合会「世界の紙・板紙生産量」
https://www.jpa.gr.jp/states/global-view/index.html　2021年1月17日閲覧

*ⓑ 日本製紙連合会「各国の古紙回収率及び利用率」
https://www.jpa.gr.jp/states/global-view/index.html　2021年1月17日閲覧

*ⓒ 日本製紙連合会「紙の歴史」
https://www.jpa.gr.jp/p-world/p_history/index.html
株式会社竹尾公式Ｗｅｂサイト「紙の基礎知識：紙の歴史」
https://www.takeo.co.jp/finder/paperhistory/　以上、2021年1月17日閲覧

*ⓓ

福の紙「こんなに違う洋紙と和紙」
https://fukunokami.biz/youshi-to-washi/
ハタノワタル「受け継いだ簀桁」アネモメトリ―風の手帖―、２０１５年12月５日
https://magazine.air-u.kyoto-art.ac.jp/tenohira/166/　以上、２０２１年１月18日閲覧

*ⓔ
株式会社ＴＴトレーディング「紙ができるまで 原料・パルプ」
https://www.tokushu-papertrade.jp/paper/material_pulp/　２０２１年１月18日閲覧

*ⓕ
南條日和（横浜美術大学・修復保存コース３期生）「アルコールマーカーの光の退色実験を通して、家庭や美術館での展示法を考察する」（２０２０年度同大学・卒業論文）、２０２１年

*ⓖ
株式会社ＴＴトレーディング「紙ができるまで 原料・薬品」
https://www.tokushu-papertrade.jp/paper/material_chemical/　２０２１年１月18日閲覧

*ⓗ
大人んサー「古文書に「付箋」を貼ってはいけない理由が話題に…図書館の本もダメ！」、２０１７年11月28日
https://otonanswer.jp/post/9147/2/　２０２１年１月18日閲覧

第５章

*ⓐ
鈴与マタイ株式会社「生型／手込め造型について」
https://www.imono-otasuke-110.com/newsdetail/生型-手込め造型について/　２０２１年２月13日閲覧

*ⓑ
宮﨑甲「鎌倉期金銅仏の造像法仮説―那古寺金銅千手観世音菩薩像の形態から探る―」『千葉大学教育学部研究紀要 第65巻』、２０１７年、４５２ページ

*ⓒ
漆 夢工房　清里「漆辞典」
https://kiyo-sato.com/search/search.html　２０２１年２月13閲覧

*ⓓ
小峰幸夫「昆虫学講座 第４回コウチュウ目（甲虫目）」『文化財の虫菌害』No.61、平成23年６月号、公益財団法

人 文化財虫菌害研究所、２０１１年、22～29ページ

*ⓔ 株式会社ダスキン「住宅木材に影響する「木材腐朽菌」とは？ 気を付けたいのはシロアリだけじゃなかった！」
２０２０年３月５日
https://www.duskin.jp/terminix/column/detail/00015/ ２０２１年２月15日閲覧

*ⓕ 山崎隆之「木彫仏像の損傷と修理」『保存科学』24号、独立行政法人国立文化財機構東京文化財研究所、１９８５年、55～58ページ

*ⓖ 国宝銅造阿弥陀如来坐像保存修理委員会編「高徳院 国宝 銅造阿弥陀如来坐像 平成27年度 保存修理報告書」、鎌倉大仏殿 高徳院、２０１８年
中川賀照「屋外ブロンズ像の保存修復：専攻科「専攻演習Ⅰ・Ⅱ」での取組」『平成28年度 奈良芸術短期大学研究紀要』、奈良芸術短期大学、２０１６年、48～55ページ
「前庭彫刻は塗り替えられている?!」『もっと知りたい！ 国立西洋美術館 第６号』２００８年11月
https://www.nmwa.go.jp/jp/50th/mottosiritai/motto06.html?index=6 ２０２１年２月20日閲覧

*ⓗ 株式会社ざエトス「ザールデリー遺跡石彫レリーフ修復」（海外事例／パキスタン）
http://www.the-ethos.co.jp/index.html ２０２１年２月20日閲覧

第６章

*ⓐ 公立大学法人 京都市立芸術大学『平成28年度メディア芸術連携促進事業 連携共同事業 タイムベースト・メディアを用いた美術作品の修復・保存・記録のためのガイド作成実施報告書』、２０１７年、３ページ

*ⓑ 「シングルチャンネル・ヴィデオ」京都市立芸術大学 芸術資源研究センター『タイムベースト・メディアを用いた美術作品の修復／保存のガイド』、２０１７年３月23日
http://www.kcua.ac.jp/arc/time-based-media/?p=509 ２０２１年２月28日閲覧

*ⓒ 石谷治寛「保管」前掲『タイムベースト・メディアを用いた美術作品の修復／保存のガイド』、２０１７年７月15

日
http://www.kcua.ac.jp/arc/time-based-media/?page_id=16　２０２１年2月28日閲覧

＊ⓓ
ジル・モラ『写真のキーワード―技術・表現・歴史』前川修他監訳、昭和堂、２００１年
三井圭司、東京都写真美術館監修『写真の歴史入門　第1部「誕生」新たな視覚のはじまり』新潮社、２００５年
鈴木八郎『発明の歴史カメラ』発明協会、１９８０年
科学博物館後援会編『写真史百年の回顧』科学博物館後援会、１９６２年

＊ⓔ
ジョルジュ・サドゥール『世界映画全史① 映画の発明』１９９２年、『世界映画全史② 映画の発見』１９９３年、『世界映画全史③ 映画の先駆者たち』１９９４年、村山匡一郎、出口丈人、小松弘訳、国書刊行会

＊ⓕ
特定非営利活動法人 映画保存協会「フィルム保存入門：公文書館・図書館・博物館のための基本原則」（全米映画保存基金 "Film Preservation Guide: The basics for archives, libraries, and museums", ２００４年の日本語訳）
http://filmpres.org/preservation/translation03/　２０２１年2月28日閲覧
木部徹監修『IFLA図書館資料の予防的保存対策の原則』国立国会図書館訳、２００３年
安江明夫「マイクロ資料の劣化―原因と対処」、東京大学 東洋文化研究所
http://ioc.u-tokyo.ac.jp/~library/kouenkai/report/3_yasue.pdf　２０２１年2月28日閲覧

＊ⓖ
伊藤敏朗「ビデオテープの保存・管理を考える」、私立大学図書館協会東地区部会研究部視聴覚資料研究分科編『視聴覚資料研究』Vol. 3, No. 3、１９９２年、２２８～２３１ページ

＊ⓗ
「サイン・エディション」武蔵野美術大学　ＭＡＵ造形ファイル、２０１８年11月7日
http://zokeifile.musabi.ac.jp/サイン・エディション/　２０２１年3月3日閲覧

＊ⓘ
宮津大輔『アート×テクノロジーの時代 社会を変革するクリエイティブ・ビジネス』、光文社新書、２０１７年、２１８ページ

＊ⓙ
木村剛大「フィジカルアートとの比較から考えるＮＦＴアートの特徴と法律的課題」『美術手帖』、２０２１年12月号、美術出版社、２０２１年、86～91ページ、
「【連載】ＮＦＴと法」第1回～第6回 BUSINESS LAWYERS　２０２１年４月20日～８月25日
https://businesslawyers.jp/articles/942

*ⓚ
「文化庁文化審議会著作権分科会国際小委員会（第2回）」２０１８年12月19日
https://bunka.go.jp/seisaku/bunkashingikai/chosakuken/kokusai/h30_02/　２０２１年３月３日閲覧

COLUMN

COLUMN 2
AFPBB News「『世界最悪』のキリスト画修復、82歳女性に著作権収入の49％」、２０１３年８月22日
https://afpbb.com/articles/-/2963272?pid=11231240　２０２０年３月28日閲覧

COLUMN 3
日経ライフコラム 子どもの学び「レントゲンでなぜ体の中が見えるの？」、２０１５年11月10日
https://style.nikkei.com/article/DGXKZO93662110V01C15A1W12001/　２０２０年８月８日閲覧

COLUMN 4
山本晃司、山口真理子、谷正彦、萩行正憲（大阪大学レーザーエネルギー学研究センター）
「テラヘルツ波による爆発物と引火性液体の探知」、日本赤外線学会誌、第16巻1号　２００７年、38～43ページ
「半導体に取って代わられた真空管に復権の兆し、超高速のモバイル通信＆ＣＰＵ実現の切り札となり得るわけとは？」GIGAZINE, ２０２０年６月26日
https://gigazine.net/news/20140626-nasa-vacuum-transistor/　２０２０年８月８閲覧
大阪大学 大学院基礎工学研究科 機能創成専攻 生体工学領域 生体計測学講座
生体光計測研究室「テラヘルツ電磁波パルスとは？」
http://mbm.me.es.osaka-u.ac.jp/old/Araki_Lab/research/thz/1-1/index.html　２０２０年８月８日閲覧

COLUMN 5
日本テレビ社会情報局『ＴＶムック 謎学の旅 PART 2』二見書房、１９９１年、２３６～２４９ページ

COLUMN 10
BBC News“$1m artwork damaged by cleaner”8. Nov. 2011.
https://bbc.com/news/entertainment-arts-15613227　２０２１年２月20日閲覧

〈参考文献一覧〉

・『絵画術の書』チェンニーノ・チェンニーニ著、辻茂編訳、石原靖夫訳、望月一史訳（岩波書店）
・『絵具の科学〔改訂新版〕』ホルベイン工業技術部編（中央公論美術出版）
・『絵画制作入門 ― 描く人のための理論と実践』佐藤一郎編、東京藝術大学油画技法材料研究室編（東京藝術大学出版会）
・『トンプソン教授のテンペラ画の実技』ダニエル・バーニー・トンプソン著、佐藤一郎監訳、中川経子訳（三好企画）
・『絵画鑑識事典』クヌート・ニコラウス著、黒江光彦監修、黒江信子訳（美術出版社）
・『絵画学入門 ― 材料＋技法＋保存』クヌート・ニコラウス著、黒江信子訳、大原秀之訳（美術出版社）
・『保存修復の技法と思想：古代芸術・ルネサンス絵画から現代アートまで』田口かおり著（平凡社）
・『修復は紡ぎだす詩』ティナ・グレッテ・プールソン著、鳥海秀実監訳、岡墨光堂訳、杉下彩訳（三好企画）
・『古書修復の愉しみ』アニー・トレメル・ウィルコックス著、市川恵里訳（白水社）
・『西洋製本図鑑』ジュゼップ・カンブラス著、市川恵里訳、岡本幸治監修（雄松堂出版）
・『和紙文化研究事典』久米康生著（法政大学出版局）
・『防ぐ技術・治す技術 ― 紙資料保存マニュアル』「防ぐ技術・治す技術・紙資料保存マニュアル」編集ワーキング・グループ編（日本図書館協会）
・『画材と素材の引き出し博物館』目黒区美術館編（中央公論美術出版）
・『日本画 名作から読み解く技法の謎』東京藝術大学大学院保存修復日本画研究室監修、宮廻正明編著、荒井経編著、鷹野佳世子編著（世界文化社）
・『図解 日本画用語事典』東京藝術大学大学院文化財保存学日本画研究室著（東京美術）
・『壊れた仏像の声を聴く 文化財の保存と修復』籔内佐斗司著（KADOKAWA／角川学芸出版）
・『古典彫刻技法大全』籔内佐斗司監修、東京藝術大学大学院美術研究科文化財保存学専攻保存修復彫刻研究室編（求龍堂）
・『東京国立博物館の臨床保存〔改訂版〕』東京国立博物館編著（美術出版社）
・『文化財科学の事典〔新装版〕』馬淵久夫編、杉下龍一郎編、三輪嘉六編、沢田正昭編、三浦定俊編（朝倉書店）
・『The Restoration of Paintings』Knut Nicolaus 著、Christine Westphal 著（Konemann）

宮津大輔

DAISUKE MIYATSU

アート・コレクター、横浜美術大学教授、森美術館理事。1963年東京都出身。広告代理店、上場企業の広報・人事管理職を経て大学教授に転身。横浜美術大学第三代学長として改革を推進し、コロナ禍におけるV字回復を達成。また、既存の芸術祭とは異なる「紀南アートウィーク2021」の芸術監督として、斯界に新風を吹き込む。他方、世界的な現代アートのコレクターとしても知られ、台北當代藝術館（台湾・台北）での大規模なコレクション展（2011年）や、笠間日動美術館とのユニークなコラボレーション展（2019年）などが大きな話題となった。文化庁「現代美術の海外発信に関する検討会」委員や「Asian Art Award 2017」「亞洲新星奬 2019」の審査員等を歴任。『新型コロナはアートをどう変えるか』『アート×テクノロジーの時代』（以上、光文社新書）、『現代アート経済学Ⅱ ― 脱石油・AI・仮想通貨時代のアート』（ウェイツ）や『定年後の稼ぎ力』（日経BP）など著書や寄稿、講演多数。

*カバー写真の油彩画作品は、縁あって横浜美術大学・修復保存研究室へやってきました。激しく損傷していましたが、指導教員と学生の手によって丹念な修復が施され、現在は往時のたたずまいを取り戻しています。

同作品にお心当たりのある方は、青幻舎までご一報をお願いします。

本書の技術的監修は、横浜美術大学修復保存コース教員の方々にお願い致しました。

洋画作品
　プロジェクト教授　上野淑美

紙作品・資料、日本画作品
　非常勤講師　田川奈美子

立体作品
　非常勤講師　中村恒克

技法・材料
　助教　鳥越義弘

横浜美術大学 修復保存コース
神奈川県横浜市青葉区鴨志田町
１２０４
arc@yokohama-art.ac.jp

staff

アートディレクション　三上祥子（Vaa）
撮影（カバー・扉）　本多康司
イラスト　Junichi Kato
編集　宇川静、田中祥子
編集アシスタント　佐藤碧紗（青幻舎）
進行　新庄清二（青幻舎）

美術作品の修復保存入門
古美術から現代アートまで

発行日　2022年5月30日　初版
著者　宮津大輔

発行者　片山誠
発行所　株式会社青幻舎
京都市中京区梅忠町 9-1　〒604-8136
Tel. 075-252-6766　Fax. 075-252-6770
https://www.seigensha.com

印刷・製本　株式会社サンエムカラー

ISBN978-4-86152-888-0 C0070